編者＝中日新聞社会部

死を想え《メメント・モリ》！多死社会ニッポンの現場を歩く

図書出版
ヘウレーカ

まえがき

「則天去私」という言葉があります。私心を捨て、その運命を天地自然に委ねるという意味でしょうか。晩年の夏目漱石が理想としていました。西洋化の波が押し寄せる明治期にエゴイズムと孤独の間で苦悩する近代の日本人を追い、数々の名作を著した文豪がたどり着いた境地。ところが、その漱石は生死をさまよう臨終の床で「水をかけてくれ。死ぬと困るから」と語りました。生への執着とも受け止められる言葉に、ファンや研究者の間で「則天去私」とのギャップを疑問視する向きもあるそうです。専門家でもない私がここで深入りするつもりは毛頭ありません。が、人生の最期で「死ぬと困る」と語った漱石のエピソードは人間臭さを感じ、安堵《あんど》すら覚えます。

当たり前のようですが、人はいつか死にます。医療技術の劇的な進歩で寿命が伸びつつある現代でも、人は死そのものから逃れることはできません。生い立ちや身分、貧富の差にかかわらず、誰にでも等しく訪れる死。それは自然の摂理であり、宗教的な表現を借りるならば正に天命ともいえます。ただ、頭でそうと分かっていながら、いざ自分自身や親しい人の死を目前にした瞬間、この世との別離を悲しみ、未知の死後を考えて苦悩し、時には歩んできた人生すら悔やみます。私たちが禁忌すべき存在として死を遠ざけてきた理由の一つです。が、その死は私たちが望むと望まざるとにかかわらず、今の日本で急速に身近な存在になっているようです。

日本の年間死亡者数は二〇一六年、初めて百三十万人を超え、半世紀前の約二倍に増えました。国の推計によると、団塊の世代が七十五歳以上になる五年後の二五年以降、さらに増え続け、四〇年には百六十六万人以上に達する見込みです。超高齢化と表裏一体で進む多死社会、それが現代日本のもうひとつの姿です。

本書は、私が社会部長だった二〇一七年十二月から一九年三月まで中日新聞、東京新聞、北陸中日新聞に掲載した長期連載「メメント・モリ」を加筆、修正し一冊にまとめたものです。タイトルの「メメント・モリ」はラテン語で「死を想え」という意味。伝染性の黒死病の猛威で人命が次々に奪われ、死と隣り合わせの生活を余儀なくされた中世ヨーロッパで広く用いられました。

日本で多死化が進む中、死の現場を通して見えてくる法律の不備や制度の遅れ、尊厳を持って葬られるべき人生の最期が蔑ろにされている実態などを掘り下げました。火葬後の残骨灰の処理や無縁化している墓、遺品の行方などは、これまでマスコミで、ほとんど取り上げられなかったテーマです。社会問題化する孤独死や医療技術の進歩がもたらす延命治療、終末看護などもそう。死の概念が科学とヒューマニズムの間で揺れ、人や地域とのつながりが途切れる中、第一線で苦悩する医師や看護師、ボランティア、遺族などの証言を集め、新たな対応が必要であることを浮き彫りにしました。

「真実はディテール（細部）に宿る」の言葉ではありませんが、社会部取材班は現場で、ほんの小さな事実にもこだわりました。救命救急センターに何日も寝泊まりし、取材中に末期がん患者の臨終に立ち会った記者もいます。死と真正面から向き合う取材に、日ごろは事件・事故報道が当たり前の彼らにとっても悩みの連続で「精神的に疲れる」という声を何度か耳にしました。それでも、彼らが取材を続けることができたのは「死を想うことは、逆に今をどう生きるのかを真剣に考えること。前向きで、よりよい人生を送るヒントにしてほしい」という願いからです。

多死社会を探る試みは、戦後の焼け野原から経済大国に成長した若々しい姿から、今や人口減と国力低下に直面する老いた姿へと変貌しつつある日本の未来を探ることにつながるとも考えました。かつてのように物質的な豊かさにこだわるのか、それとも国の老衰や成熟化を認めた上で、国民の幸福度や文化の向上など内面的な価値観を目指す方向へと舵を切るのか。作家の司馬遼太郎さんが遺した「美しき停滞」という新たな国家像は、多死社会に生きる今の私たちが学ぶべき方向性を示しているように思います。

私事となりますが、新聞連載が始まった当日、北陸の実家に住む独り暮らしの母が急逝しました。おそらく日々の生活を切り詰め、自身の最期に備えていたのでしょう。遺品を整理している際、仕送りが手つかずのまま残っているのが見つかりました。筆まめとは言えない彼女が、世話していた近所の野良猫への思いを作文にし、町の文集に寄稿していたこともその時初めて知りました。いなかの長男宅に嫁ぎ、義父母を看取り、二十年前に夫を見送った後、たった一人で家を守り続けた母。ささやかな楽しみを生きがいに、つつましく生きたその晩年に自分自身が人生の下り坂にさしかかった今、思いを抱かずにはいられません。本書には、そうした家族や親しい友人らにとってかけがいのない生涯を送った市井の人々の物語が収められています。

「終活」や厚生労働省のポスターが一時議論を呼んだ「人生会議」など、人生の最期をめぐる国民の関心はビジネス界を巻き込みながら、かつてない高まりを見せています。死をタブー視することなく、多死社会に深く切り込んだ本書が、豊かで実り多い人生を歩む糧となり、安心した生涯を終える社会に向けた一助になることを切に願っています。

中日新聞編集局次長　寺本政司

死を想え《メメント・モリ》！　多死社会ニッポンの現場を歩く†目次

第2部　旅立ちのとき

＊本書に登場する人物の年齢、肩書、団体名等はとくに断りがない限り、取材時のものです。

第1部

遺すもの、遺されるもの

1　亡骸を追う──残骨灰を知っていますか？

戦後の復興と繁栄を支えた世代が老境に入り、かつてない多死社会が進行する。豊かさを追い求める中で遠ざけてきた「死」と向き合ったとき、何が見えるのか。この章では残骨灰《ざんこっぱい》処理の現場に迫る。

もう一つの遺骨──知られざる逝き先

オレンジ色の激しい炎が炉内を焼き尽くす。マッチ箱ほどの小さな窓の向こう側で、亡骸《なきがら》が白い遺骨に姿を変えていく。

全国最多、四十六基の火葬炉を備える名古屋市立八事斎場（同市天白区）。小窓は、ひつぎが搬入された火葬炉の裏側にある。顔を近づけてのぞくと、視界が炎に包まれた。バーナーから噴き出す炎に、人の腰や足の骨が巻かれていた。

　職員が他の炉の裏を回り、ふたを開けた小窓から金属の棒を炉内に入れて動かしている。九〇〇度まで熱した炉が放つ光をサングラスがさえぎる。炉の中で遺体が傾くと金属の棒で元に戻し、火が均等に回るように位置を調整する。

　火葬はおよそ七十分で終わる。遺骨は台車ごと炉から出され、遺族が拾う。「でも、すべてが骨つぼに収まるわけではないんです」。斎場の中野勝宏《まさひろ》所長（60）は、そう語る。

　残骨灰。遺族が拾いきれなかった骨や歯、ひつぎや副葬品の灰などを指す。火葬率が99・9％に上るこの国で、誰もが迎える最後の姿だ。高齢化の果て、二〇一八年の日本の年間死者数は百三十六万二千人を超え、六十七万五千人だった一九六七（昭和四十二）年、ちょうど半世紀前の約二倍になった。国の推計では、

年間死者数の推移と予測

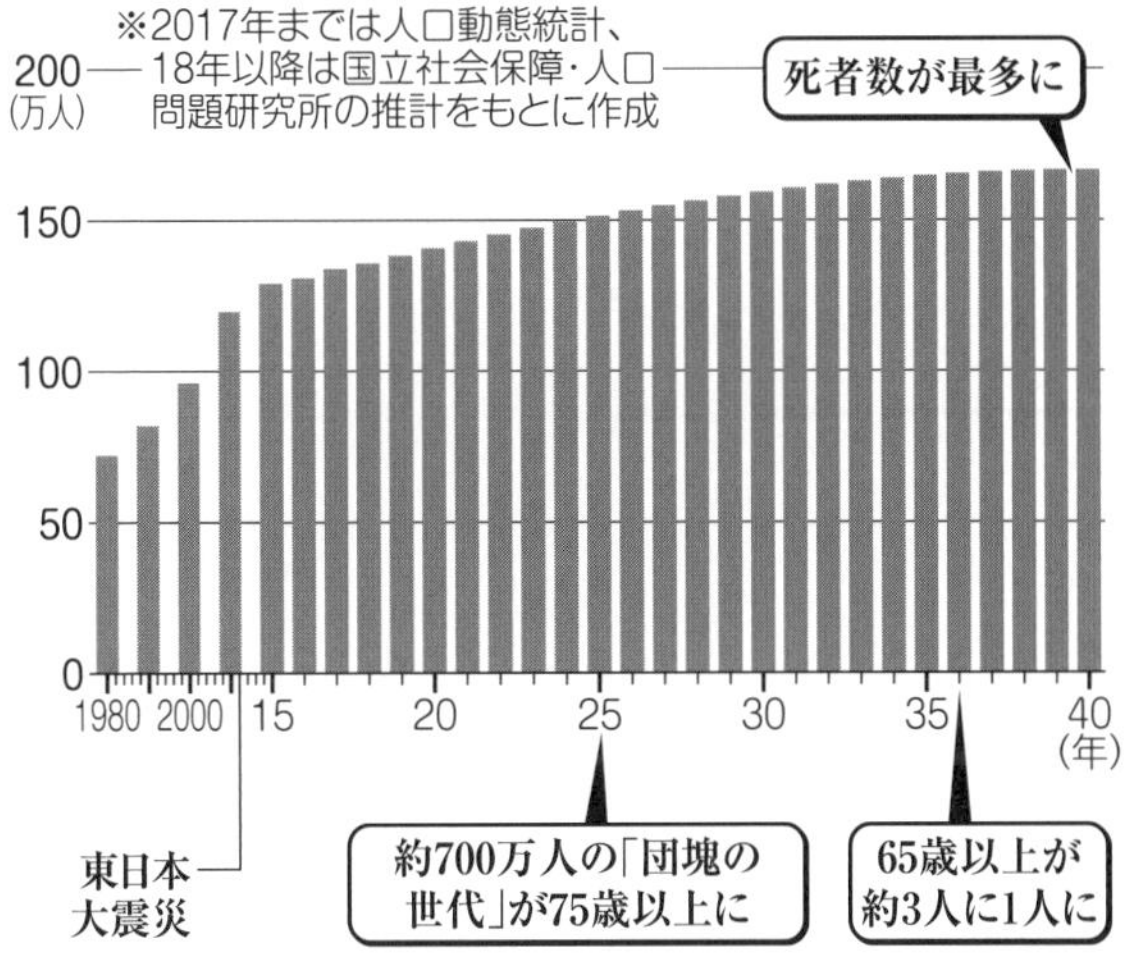

ピークの二〇四〇年に百六十六万六千人に達する。

拾骨が終わり、遺族が去った火葬炉の前から轟音《ごうおん》が聞こえた。台車を囲む清掃職員が、腕の太さほどのホースで残骨灰を吸い上げている。ホースは斎場内の壁へとつながり、残骨灰は内部の長い配管を巡った後、屋内の一角に集められる。

集積場と呼ばれるその部屋は十畳に満たない広さで、十二個のドラム缶が並んでいる。中野所長は「今はまだ、それほどたまっていない状態です」と説明したが、それでもドラム缶の一つは満杯になり、残骨灰の小高い山になりつつある。

ドラム缶に近づいてみる。灰色がかった白い大小の破片、その隙間を埋めるざらついた粉……。一目で骨と分かるものもある。無機質に見えても、それぞれが人間の一部、あるいは人生を刻んだ品だったものだ。「死は誰も避けられない現実だが、顧みられることのない現場です」。中野所長がつぶやいた。

全国の大半の自治体は、こうした残骨灰の処理を業者に任せている。名古屋市の場合、半年ごとに契約した業者によって、この集積場から月に一度回収されていく。業者は処理工場などで残骨灰から主だった骨を選別し、各地の寺院や霊園などに収める。

だが、そうして供養され、永い眠りにつくのは、残骨灰のうちの一部にすぎない。なお残される「もう一つの遺骨」。その行方を、多くの自治体も、社会も知らずにいる。

業者の依頼で残骨灰から出た骨を受け入れている京都市左京区の大雲寺。千年余の歴史を誇る古刹《こさつ》で、酒井聡有《そうゆう》住職（63）が供養塔を見上げながら明かした。「火葬で溶けた金歯や銀の詰め物、残された指輪。残骨灰に混ざった有価物は、細かな骨とともに、また別の流れに乗るのです」

金とスラグ――灰に眠る貴い鉱床

九州にある人口約六万人の町。小さな作業場で腰をかがめ、経営者の男性が水槽からふるいを引き上げた。縁に黒い小石のような粒子が付いている。男性は「これが金《きん》です」と言った。

作業場には全国の斎場から残骨灰が運ばれてくる。灰とはいえ、ひと目で人骨と分かるものもある。男性はまず大きめの骨を灰の中から取り出し、作業場の片隅に設けた祭壇に並べる。残りの灰には骨片と共に、金や銀といった金属片が混ざっている。男性は灰を水槽に入れ、ふるいを使って金属片を取り出している。比重の違いを利用した砂金取りの要領だ。

「これで二キロ七百グラム。六百人分です」。ビニール袋に入った黒い塊を男性が差し出した。残骨灰から集めた金属片やくぎに混じり、臼歯が見えた。灰から取れる金の大半は、歯のかぶせ物から溶け出した合金に含まれているという。「遺体一体で五千円」。男性はそれを売って暮らしている。

残骨灰の分別処理を担う業者は、全国に四十前後ある。男性のように、その多くが個人や家族経営の小規模な業者だが、業界団体を設立して事業を広げる動きが数年前から出てきた。

東海地方の山中に、六業者が加盟する団体の指定工場がひっそりと立っている。周囲に民家などの建物はないが、「住民感情への配慮」として看板は掲げていない。

この団体は数年前、残骨灰処理の近代化をうたって発足した。工場には大型の粉砕機や、風力で灰と金属を選別する機械が並ぶ。粉末状に砕かれた骨や、原形をとどめたままの人工関節、ひつぎのくぎなどが、ドラム缶やプラスチックの箱に仕分けされている。

業者が取り出した金属の多くは貴金属メーカーに送られる。大手の田中貴金属工業（東京都千代田区）は、残骨灰から出る金属をリサイクル可能な「都市鉱山」に位置づける。広報担当者は「不要になった携帯電話や自動車スクラップなどと同様に、限られた資源の有効活用です」と説明した。一部は純度の高い金の延べ棒に加工し、品質保証の刻印を押して売却している。

貴金属メーカーに送られず処理業者に残った灰は、業界で「ファイナル」と呼ばれる鉱山会社に運ばれる。肉眼では確認できないが、この灰にも金や銀が含まれている。鉱山会社は巨大な炉で元素レベルに分解し、抽出した金属類を工業用などとして市場に出す。

処理業者らが「灰を持ち込んでいる鉱山会社は数社ある」と話して社名を挙げた大手の鉱山会社のうち、一社は取材を拒否し、別の社は「調べたが、把握できなかった」と答えた。その中で、明治期に三大銅山と称された旧小坂鉱山（秋田県小坂町）を持つＤＯＷＡホールディングス（東京都千代田区）の担当者は「残骨灰は、マテリアル（原料）の一つです」と説明した。

鉱山の跡地にあるＤＯＷＡの製錬所。その炉は三階建ての建物に匹敵する高さがあった。炉の温度は一三〇〇度に達するという。この炉で金や銀をさらに抽出した後の残滓《ざんし》は「スラグ」と呼ばれる土くれになり、十平方キロという広大な敷地に野積みされている。

貴金属を限界まで取り出され、黒いスラグになった人の体の最後。その塊が、日本の近代化を下支えした鉱山跡で眠っている。

処理のコスト——なぜ止まらぬ1円入札

北朝鮮の弾道ミサイルが日本の上空を通過した二〇一七年八月二十九日。全国瞬時警報システム（Ｊアラート）が鳴り響いた福島市で、市営斎場から出る残骨灰の処理業者を決める指名競争入札が開かれた。

市役所三階にある入札室に十七業者が集まり、各社の担当者が封筒を差し出した。職員が順番に入札額を読み上げる。結果、全社が「一円」。職員は事務的な口調で「抽選で落札者を決定します」と告げた。

残骨灰の処理を毎年発注している福島市では、記録が残る二〇〇三年度から一円での落札が続いている。東日本大震災で被災した自治体から遺体の火葬を受け入れた一一年度も、業者はその残骨灰を一円で落札した。

入札は最低価格を示した業者が落札するルールだ。横並びの場合はくじ引きで決める。福島市環境課の宍戸亮課長（55）は「一円でも、手続きにのっとっている」と説明するが、なぜ一円なのか、市民に疑問を持たれてもおかしくないと感じている。

一円での落札や随意契約は、福島だけでなく全国各地で相次いでいる。横須賀、静岡、岐阜、富山……。函館や八王子などの契約額は「ゼロ円」だった。

関東地方に本社がある処理業者は、複数の都市の残骨灰処理を一円で請け負っている。処理が終わると、それぞれの都市から一円ずつ振り込まれる。社長は一円で仕事を受ける理由を「他都市の入札要件にある『過去の実績』をつくるためだ」と説明する。

ただ、この社長は同時に「一円でも利益は出る」と明かす。「残骨灰から得られる金《きん》は、遺体一体当たり約一グラム」と話す業者もいる。二〇〇〇年に一グラム約千円だった金の小売価格は、一六年に約四千五百円まで高騰した。処理費用を丸ごと負担しても、有価物を売ればもうけは十分出るという。

一円での落札が十年以上続く浜松市は、業者が有価物を得ていることを知っていた。二〇一七年度からはその有価物を市が回収して売却し、収入に充てる方法に切り替えた。厳しい財政を補うためだが、「安い委託料で適切に処理してもらえるのか」との懸念から、一円入札に歯止めをかける狙いもあった。

ところが、その年の四月二十六日に北区役所の会議室であった指名競争入札で、区民生活課の小林正美課長補佐(58)は目を疑った。発注方法の見直しで「一円入札はなくなるはずだ」と考えていたが、結果は十六社のうち十二社が「一円」だった。参加業者の八割近くが再び一円でそろったことを、小林課長補佐は今でも不思議がる。

有価物を市に返す仕組みなのに、なぜ一円なのか。浜松市の入札で一円を示した十二社のうち一社の社長は「赤字でも、新規参入業者に仕事を取られたくなかった」と説明した。

一方で、他都市に金などを返納している複数の業者らは「誤差」の存在を口にする。実際に灰から回収できた有価物の量を自治体には少なめに報告し、残りの有価物を自社の利益にする中抜きの示唆だ。「自治体が納得しそうな量を返している」と明かした業者もいる。

浜松市は一円入札を防ぐため、人件費などを考慮した最低制限価格を二〇一八年度から設ける検討を始めた。国は統一的な基準を示しておらず、適正なコストや発注方法の判断をすべて現場の自治体に委ねている。

北の地での争奪戦に政治の影

氷点下七度。雪に覆われ、昼間でも刺すような風が吹く北海道北見市の凍土の下に、およそ一万八千人の残骨灰が眠っている。

北見市役所の市民環境部を二人の男性が訪ねてきたのは、二〇一六年四月十三日のことだ。一人は残骨灰の処理業者。もう一人が会議室で職員に渡した名刺の肩書は、北海道選出の国会議員の「秘書」だった。

二人の用件は、市内で最も大きい火葬場「やすらぎ苑《えん》」の敷地に眠る残骨灰処理の営業だった。二〇〇〇年度からの十六年間で亡くなった市民の灰が、肥料袋と、さらに大きい遮水シートの袋に入れられ、深さ二・五メートルの穴に埋められている。

処理業者の営業が盛んになったのは、斎場の整備計画が持ち上がった一四年ごろからだ。〇六年三月、常呂町《ところ》、端野町《たんの》、留辺蘂町《るべしべ》を含む「平成の大合併」で生まれた新しい北見市には、三つの火葬場がある。市はやすらぎ苑の管轄エリアに当たる北見・端野地域の年間死者数が、現在の約千三百人から二十年後には約千八百人に増えると予測している。

多死社会に備えて必要になった新たな火葬場の候補地が、残骨灰が眠っている三千五百平方メートルの敷地だ。サッカー場の約半分の広さ。建設が決まれば土を掘り、残骨灰を取り出して処理する。市の担当者は「早ければ一九年度にも掘り返す可能性がある」と話す。業者はそのタイミングを狙い、市に営業をかけている。

北海道はかつて、処理業者に「宝の山」と呼ばれていた。本州などに比べて業者の進出が遅く、北見市のように広大な土地に残骨灰を埋めていた自治体が多かった。二〇〇〇年代初めに進出した処理会社の社長は「未開の地だった」と当時を振り返る。ただ、ここ数年は新規参入が相次ぎ、競争が激しくなったという。

北見市から約三百キロ。山あいにある町の担当者は三年前、残骨灰の処理を委託していた業者に首長名の文書「契約解除申出書」を送った。突然の解除の理由を尋ねた業者に、担当者は「申し訳ない」と頭を下げた。

近くにある別の町も一六年の春、処理業者を切り替えた。「それまでの委託業者に不手際があったわけではない」と話す担当者は、こう続けた。「町長から『替えろ』と指示がありました」。一七年四月に業者を替えた自治体の担当者は「営業がありました。上の方にも直接行ったようです」と明かす。

業者の勢力図がオセロのように変わる北海道。多くの自治体が入札ではなく、随意契約や火葬場の指定管理者による選定などで委託先を決めている。発注者と業者との商談のような交渉が、選定結果に直接影響する。

一六年四月に業者とともに北見市を訪れた国会議員の秘書は、訪問の理由を尋ねた記者に「残骨灰を埋めていることが、問題になるのではないかと思った」と説明しつつ、業者から仲介を頼まれたかを問うと「そうです」と答えた。この業者は一七年の夏も、現職の道議と一緒に北見市役所を訪れている。

競合する他社も北見市に営業をかけている。ある業者の担当者は、灰の処分方法をまだ決めていない斎場担当者に「あとはここだけですよ」と迫っているが、どうなるかわからない。政治の影がちらつく現場で「うちも誰かに頼るべきなのか」と考え込むという。

法のはざまで戸惑う自治体

一九〇九（明治四十二）年二月四日、岐阜県高山市にあった高山西ケ洞火葬場で、残骨灰を巡る事件が発覚した。

遺族が拾骨した後に残った計約九十貫目（約三百四十キロ）の骨を「肥吉《こえきち》」と呼ばれる住人が職員から買い取り、刑法の遺骨領得容疑で逮捕された。残骨灰は当時、肥料として使われることがあった。

裁判は大審院（現在の最高裁）まで争われたが、翌一〇年十月四日、肥吉に「無罪」が言い渡された。大審院は残骨灰を価値のない「砂塵《さじん》」に等しいとみなし、遺骨の不法取得には当たらないと判断した。

同様の裁判は昭和に入ってからも起きた。福島県平市《たいら》（現在のいわき市）の火葬場の職員が、灰に交じっていた金歯のくず約十二匁《もんめ》（約四十五グラム）を横領した事件。大審院は一九三九（昭和十四）年三月七日の判決で、拾骨後に残った金歯などの有価物の所有権が「市町村」にあるとの判断を示している。

その判決から約八十年がたった現在も、残骨灰を誰が所有し、どのように処理するのか、国に統一的な基準はない。

この点について、厚生労働省の塚野智久・生活衛生調整企画官（42）に聞いたところ、「残骨灰には法律も監督官庁もない」と言い切った。墓地や火葬場の管理などを定めた墓地埋葬法（墓埋法）は厚労省の所管だが「残骨灰は法の枠外の存在だ」と話す。

一方、環境省廃棄物適正処理推進課の八巻弓智《やまきゆみとも》主査（37）にも話を聞いたところ、「残骨灰は基本的に廃棄物処理法の対象ではない」と説明した。一般廃棄物と産業廃棄物は法で処理方法を定めているが、残骨灰はいずれにも該当しないという意味だ。

法律のはざまで宙に浮く残骨灰の処理を、国は自治体に任せている。「法の枠外にある以上、処理を巡って自治体を指導することはできない」「宗教的感情の対象であり、国民には多様な考え方がある。最終的には自治体で判断してほしい」――。厚労省と環境省はこれらの理由を挙げるが、判断を委ねられた自治体は迷いを抱えている。

山口県下関市の斎場担当者は、一円での随意契約が続く残骨灰の処理委託に課題を感じている。より良い発注方法を探すために墓埋法を読み返したが、「残骨灰についての条文は、やはりなかった」と語った。近隣の自治体と情報交換しても発注の仕方はそれぞれ異なり、「統一的な基準を定めてほしい」と国に望んでいる。

四十年ほど前から残骨灰を業者に売却している群馬県高崎市の長谷川裕二・市民課庶務担当係長(42)も、今の方式が最善だとは思っていない。委託処理などへの切り替えを検討しているが、どのような業者に、いくらで委託するのが適切なのか。「自信を持って発注するためにも、国の助言がほしい」と話す。

残骨灰は供養の対象となる「遺骨」ではなく、得られる有価物は「市町村」のものになる――。法律や制度が整備されていない中で、自治体が判断のよりどころにしているのは、明治と昭和に大審院が出したこの判決だ。

ただ、多死社会が進む令和の今、ある都市の担当者はこう思う。「国だけでなく、国民を含めた議論が必要な時期ではないでしょうか」

column 二割の自治体が残骨灰を売却

残骨灰をどう処理するかの判断は各自治体に委ねられている。本紙が全国の政令指定都市や県庁所在地など計八十一自治体および一部事務組合に実施したアンケートでは、残骨灰を業者に売却するなどし、自治体の収入に充てているとの回答が全体の約二割の十八自治体に上った。

収入に充てていると答えた自治体は東京都、名古屋市、浜松市など。さらに、大阪市、神奈川県横須賀市、静岡市など十四自治体が将来的に有価物の売却を検討するなどと回答した。残骨灰を「市町村の所有」とした一九三九（昭和十四）年の大審院（現在の最高裁）判決などを基に、売却に踏み切る自治体は今後も増えると予想される。

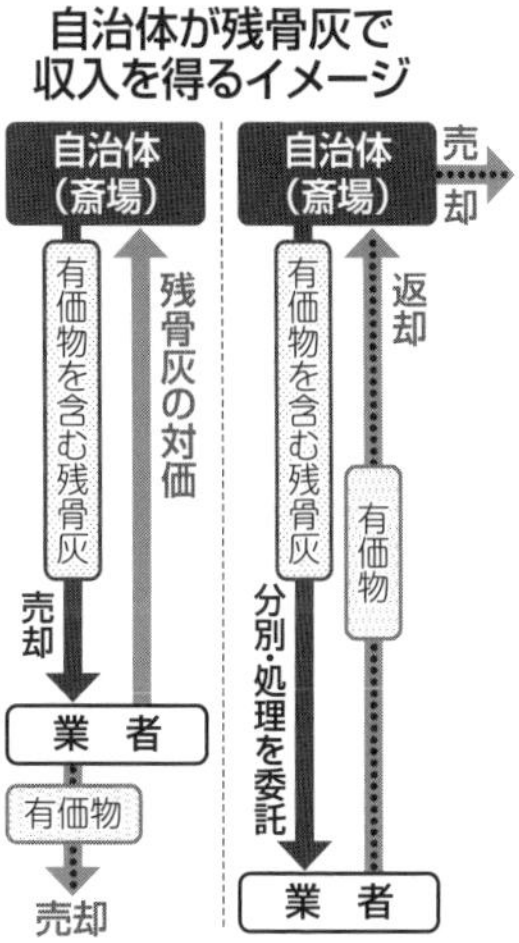

残骨灰には歯の治療で使った合金などの有価物が含まれている。売却せず、指名競争入札や随意契約で業者に処理を委託している自治体では、業者によるゼロ円や一円での超低額契約が相次いでいる。本章では、低額で処理を請け負った後に残骨灰から取り出した有価物を売り、自社の利益にしている業者の存在も取り上

げた。

厚生労働省生活衛生課の担当者は、ゼロ円や一円での処理委託が横行している現状を「認識している」としつつ、適正なコストや処理方法については「自治体の判断」とのスタンスを崩さない。一方で、一円入札が続く自治体には契約の透明性や公平性を確保したい思いがあり、その手段の一つとして売却を検討材料に挙げている。

指名競争入札による委託処理を続けてきた横浜市は二〇一七年度から、残骨灰を業者に

各自治体の残骨灰処理の状況
(本紙のアンケートから)

金額は原則、直近の契約の収入額

※仙台市、浜松市は2017年度から収入を得る予定。臨海は東京都の臨海部広域斎場組合

有価物の売却などで 収入を得ている 自治体

仙台市※ ―	秋田市 518万5561円	山形市 956万7000円
前橋市 1180万8028円	高崎市 1377万2025円	東京都 644万5880円
横浜市 7800万円	新潟市 939万7836円	甲府市 422万9195円
長野市 524万7239円	浜松市※ ―	名古屋市 1825万2761円
津　市 1974万5022円	神戸市 611万1818円	姫路市 936万1245円
岡山市 314万4125円	福岡市 3888万円	久留米市 820万8745円

有価物の売却を 検討中、検討予定 の自治体

旭川市	福島市	さいたま市	川越市	横須賀市	静岡市	大阪市
豊中市	奈良市	倉敷市	山口市	下関市	徳島市	高知市

有価物の売却を 検討していない 自治体

札幌市	函館市	青森市	八戸市	盛岡市	郡山市	いわき市
水戸市	宇都宮市	越谷市	千葉市	船橋市	柏　市	臨海※
八王子市	川崎市	相模原市	富山市	金沢市	福井市	岐阜市
豊橋市	岡崎市	豊田市	大津市	京都市	堺　市	高槻市
枚方市	東大阪市	尼崎市	西宮市	和歌山市	鳥取市	松江市
広島市	呉　市	福山市	高松市	松山市	北九州市	佐賀市
長崎市	佐世保市	熊本市	大分市	宮崎市	鹿児島市	那覇市

(網掛け)は1円、ゼロ円契約の自治体

アンケートの方法：2017年11月17～30日、公営斎場を持つ政令指定都市、県庁所在地、中核市の79市と東京都、都の臨海部広域斎場組合を対象に実施。残骨灰の処理方法や有価物の取り扱いなどを書面で尋ね、回答率は100%だった。

売り払う発注方法に切り替えた。一六年度に有価物の売却を禁じて低額入札に歯止めをかけようとしたものの、複数の業者が極端に安い価格で応札する想定外の事態になったためだ。

売却の初年度だった一七年度の収入は七千八百万円。市はこの売却益を斎場のトイレの洋式化や休憩室の備品の更新に充てる計画だ。担当者は「一般財源に組み入れず、収入を斎場の利用者に還元することで市民の理解を得たい」と説明する。

ただ、人の体の一部である残骨灰の売却には「遺族感情に反する」との批判が根強くある。業者に処理を委託してきた岡山県倉敷市は、直近に行った一四年度の入札結果が一円だった。このため、担当者間で売却などの検討を始めたが、「課題は倫理面への配慮。市民の理解をどのように得るか」と悩みを打ち明ける。

アンケートでは、残骨灰を売却している群馬県高崎市の担当者が「処理委託、売却のどちらにせよ、さまざまな問題を抱えている。処理に関する業者の許認可や処理単価の設定など、国からの明確な助言を求めたい」との声を寄せるなど、複数の自治体が国による法律や制度の整備を求めた。

interview

愛知学院大法務支援センター教授　**原田 保**さんに聞く

残骨灰処理、自治体対応に限界。望まれる法的ルール化

残骨灰は一九一〇（明治四十三）年の大審院の判決で「遺骨」ではないとの判断が示されています。遺骨とは弔うべき骨という意味。つまり、残骨灰は葬送の対象から外れるというのが百年以上にわたる国の考え方です。

しかし、現在の日本社会には、もともと人体の一部であったものは「一般的な財物や廃棄物とは違った対応が必要なのではないか」という感覚が厳然と存在します。また、故人ゆかりの品や金歯、人工関節などに対しても、遺骨や遺体に近い感情を持つ人もいます。

明治の大審院の判決は、残骨灰は遺骨ではないとしつつ、これを遺棄することは道義上避けるべきだと述べています。残骨灰とは直接関係ありませんが、死体解剖保存法も解剖する者は死体に対して「礼意を失わないように」と言っています。

残骨灰は墓地の管理や埋葬について定めた墓地埋葬法（墓埋法）や廃棄物処理法で処理方法を決められていません。いわば法の枠外の存在ですが、人の体に由来するものでありながら葬送対象外であるものを指す概念として「準葬送対象物」や「葬送対象近似物」といった考え方が必要なのではないでしょうか。

そうした新しい概念を基に、例えば墓埋法においては遺骨や遺体でないものについても「弔い」という意味で、何らかの措置を講じる規定を追加します。また、もし処分するのであれば、廃棄物処理法の中で他の廃棄物とは違った処置をさせる決まりを設けます。人の体に由来するものだからこそ、特別な対応を明記することが求められます。

自治体単独での対応にも限界があります。関係者を悩ませないためにも、国による法的なルール化が望ましいと思います。

▼はらだ・たもつ　1951年、北九州市生まれ。早稲田大大学院で博士号（法学）取得。専門は刑事法、宗教法。刑法から見た宗教関連の判例研究のほか、散骨など新しい葬送方法の論文が多数ある。

interview

生命倫理政策研究会共同代表　**櫛島次郎**さんに聞く

死後への行政の関与は時代の要請

火葬率が99・9％に上る日本で、残骨灰の法的な位置付けがないというのは、行政が国民の死後のニーズに応えられていないということです。死が隣り合わせだった戦争が終わり、戦後日本は「死を忘れて生きられる平和で豊かな社会」を目指しました。それはある程度達成されましたが、多死社会の到来で「人は必ず死ぬ」という当たり前の現実に頭を悩ませています。

遺骨の処理や葬儀の形など、死後についての国民の関心は高まっており、国や行政が一定の責任を持つべき時代が来ています。

火葬が普及しつつあるフランスでは二〇〇八年、「人体の尊重は死によっても終わらない。遺灰を含め、亡くなった人の遺骸は敬意と尊厳と礼を持って扱われなければならない」という項目を民法に追加しました。遺骨を抱える遺族のためには、関連法を改正して自治体が墓地に収納場所を用意することにしました。文字どおり「ゆりかごから墓場まで」の福祉を整えようとしています。

一方、日本は「ゆりかごから死の床まで」にとどまっています。

政府は現在、高齢者が病院や施設でなく、住み慣れた場所で医療や介護を受ける「地域包括ケア」を進めています。ここに死後の問題も含めてはどうでしょうか。医療や介護の方針を本人と家族、関係者が話し合って決める中で、葬式や墓、遺骨の扱いなどにも範囲を広げてほしいです。

人が死んだ後のことにまで行政が関与することには異論もあるかもしれません。ですが、日本は戦後、医療と介護を順々に公的保険の対象とし、社会で支え合う仕組みをつくってきました。その流れからすれば、死後への関与は自然な流れです。

▼ぬでしま・じろう　1960年、横浜市生まれ。東京大大学院社会学研究科博士課程修了。専門は生命倫理、葬送文化論。近著に『これからの死に方　葬送はどこまで自由か』(平凡社新書)。

2　消えゆく墓――守れない、もてない、もちたくない

過疎や少子化などで守《も》り人を失う墓が増えている。遠くにいる父や母、子どもを思い、家族の墓の将来に不安を抱く人もいる。墓が無縁化している現場を追う。

墓の墓場

谷間を埋める墓標に雪が降り積もる。白と黒と灰色の光景が、視界の先まで広がっている。

広島県福山市。瀬戸内海に面した人口約四十七万人の町の外れで、数万基の墓石がひっそりと眠っている。不要になって墓地から撤去され、持ち主はもういない。

「墓石安置所」と呼ばれるこの谷は、市街地から車で約五十分の山中にある。福山市内で天台寺門宗の不動院を営む三島覚道《かくどう》住職（76）が、二〇〇一年に設けた。知り合いの墓石業者から「古い墓石を捨てるのは、しのびない」と相談されたことがきっかけだ。三島住職は「人のため

不動院の所有地に安置されている墓石。１年で8000基近くが業者によって運び込まれる。

になるなら」と思い、寺が所有している山を供養の場に充てた。

最初の一基を受け入れてから間もなく二十年になる。二千五百円で引き取る墓石は年を追うごとに増え、二〇一六年は撤去業者などを通じて八千基近くが運び込まれた。こけむした「故陸軍歩兵……」の墓石には、英霊の名が刻まれている。建立時期が「平成」と刻まれた比較的新しい墓石もある。安置所の面積は、野球場とほぼ同じ広さの約一万平方メートルを上回る。

公営や民営の墓地から消えてゆく墓。厚生労働省の衛生行政報告例によると、墓の撤去や移転を伴う一六年度の「改葬《かいそう》」は、全国で九万七千三百十七件に上った。跡継ぎがいない、都市部に転居して故郷との縁が薄れた……。事情はさまざまだが、少子化などを背景に、二十年前の一・四倍に増えている。

一七年の正月のある日、愛知県扶桑町の共同墓地に重機の音が響いていた。解体と撤去を引き受けた高木石材店（同県犬山市）の鈴木一成代表（45）が、一九七七（昭和五十二）年に建てられた墓を取り壊していた。

依頼主は中年とみられる女性だ。遠方に嫁ぎ、実家の墓に入るつもりはない。将来的に維持が難しく、「墓じまい」を決めたという。電話でのやりとりだけで、鈴木代表はこの女性に会ってはいない。墓には大正時代からの六人の名が刻まれていた。

鈴木代表は一人で作業に当たった。まず、手元のリモコンでクレーンを操り、先端に取り付けた金属製の爪で「先祖代々之墓」と刻まれた墓石をつかんだ。高さ二メートルほどまで引き上げると、周囲の墓石をよけながらトラックの荷台に載せ、その後、遺骨を納めてあった台座部分の石を一つずつ取り外した。

作業前には僧侶が読経して遺骨を取り出し、家族に返す「精抜《しょう》き」が営まれた。それでも細かい骨は残っており、鈴木代表は両手ですくって袋に納めた。その遺骨も後日、家族の元に届ける。約一時間かけて墓石を撤去した跡には、盛り土だけが残っていた。

義父から石材店を継いで十二年になる鈴木代表が墓じまいの依頼を受けるようになったのは、数年前からだ。月に数件の相談があり、実際に作業するのは一件ほど。重機を操作しながら「墓を守る人が減っている以上、やむをえない」と思いつつ、「墓じまいとはつまり、家族のつながりが薄れてゆくことだ」とも感じている。

撤去した墓石は家族の意向を聞き、専門業者に処理を委ねている。数万基を安置している福山市の不動院のように、僧侶が供養している墓石もある。

ただ、引き取り手も行き場もない墓石は廃棄物として扱われる。形を変え、寺院とは別の場所で眠っている。

砕いて解体される墓——墓は消えても遺骨は残る

金属音を放つドリルが石肌に突き刺さる。回転する刃先は瞬く間に深さ数センチにまでのめり込んだ。

神奈川県横須賀市にある大橋石材店。防塵《ぼうじん》マスクを着けた大橋理宏《まさひろ》社長（51）が墓石を砕き割っている。墓地から撤去され、遺族が安置や供養を望まなかった墓石だ。ドリルで開けた穴に太いくぎのような金属の棒を差し込み、超硬合金の金づちを何度も振り下ろす。

ピシッ。金づちを打ち付けていると、氷がひび割れるような音がした。その音とともに、横に寝かせた長さ七十センチほどの墓石が真っ二つに割れた。

社長が割ったこの墓石は、近くにある寺院の墓地に二カ月前まで立っていた。不要となった墓石を撤去する仕事は、年間三十〜四十件ある。「墓を建てる仕事が減る一方で、数年前からこうした仕事が増えた」。社員二人とともに各地の現場を回っている。

砕き割った墓石は産業廃棄物として中間処理業者に運ばれる。国に基準はなく、多くの自治体が撤去後の墓石を産廃とみなしている。ただ、一目で墓石だったと分かる状態での受け入れを「縁起が悪い」と嫌がる処理業者もいるという。

「だから、字をつぶすんです」。社長は再び金づちを手に取ると、墓石に刻まれた文字を一つ一つ削り始めた。「先祖代々之墓」「昭和八年　七十二才」。グラインダーの丸い刃で文字に縦線を入れ、名前や没年を読めないように消していく。

関東地方にある産廃処理業者には、砕かれた墓石が各地の石材店から運び込まれる。黒や灰色の石の山をショベルカーですくい上げ、高さ三メートルを超す大型の破砕機に放り込む。一つ一つの石は三十センチ角ほどの大きさ。機械の内部にある二枚の鉄板でさらに小さく砕かれて、一分足らずで数センチの砂利になる。

「墓石は硬くて機械が傷むから、あまりやりたくないんだけれど」。そう話す担当者が、砂利の行き先を説明した。セメントのくずなどと交ざり、道路建設でアスファルトの下に敷かれる路盤材として売られていく。未舗装の駐車場にばらまく砂利として売ることもある。人や車の足元で眠っている墓石の破片は、一トン数百円で取引されるという。

墓石解体業「美匠《びしょう》」（奈良県橿原市）が三重県名張市に持つ敷地には、自社で使うために産廃業者から引き取った砂利が積まれていた。墓を撤去した後に残る穴やくぼみを埋める砂利だ。営業担当の西向《にしむき》友也部長（45）が、人工的に磨かれた跡がある小石を拾い上げて言った。「コンクリートやれんがの破片も交じっているが、これは墓石だったたんでしょう」

美匠は産廃の収集運搬の許可を持っており、許可のない同業者からも墓石の撤去や搬送の仕事を受けている。持ち主が分からなくなった墓の撤去を自治体から依頼されたこともある。昨年は現場の社員八人で、約三百件、一万トン以上の墓石を扱った。

ただ、墓石はなくなっても、そこにあった故人の骨が消えるわけではない。西向部長は現場で「散骨、納骨堂……。遺骨の行方は、これから社会的な問題になる」と感じている。

column 墓石の不法投棄

無縁墓《むえんぼ》（使用者と連絡が付かず、墓守をする人もいない墓のこと。49ページ参照）の撤去や墓じまいが広がる中、不要となった墓石が不法投棄されている現場がある。

淡路島の南端、鳴門海峡を隔てて四国を望む兵庫県南あわじ市。有料道路のインターを下りてすぐの山中に、推定千五百トンの墓石が捨てられている。

二〇一八年一月、廃棄物行政を担当する兵庫県淡路県民局の家田周二環境参事と現場を訪れた。山すそを切り開いた細長い土地に、幅十メートル、奥行き五十メートル程度にわたって墓石が乱雑に積まれていた。「高さは最大で五メートルはあるでしょう」。家田参事がため息をついた。

県によると、不法投棄は〇四年ごろから始まった。同県洲本市の石材店社長と従業員が、県内や大阪府、京都府の寺院などで撤去された墓石を同業者から有料で引き取り、処理費用を浮かすため破砕やリサイクルなどの適正な処分をせずに、現場に捨てていた。二人は〇八年に廃棄物処理法違反罪で有罪が確定したが、資金不足を理由に撤去はしていない。

仮に県が処理する場合でも、費用は四千万円以上と試算されている。家田参事は「不法投棄の後始末にそれだけの公費を投入することはできない」と話す。土壌汚染など差し迫った懸念はないが、今後も業者への撤去要請を続けるという。

不法投棄は岐阜県美濃市でも発覚した。地元の石材回収業者が山中に四百立方メートル以上の墓石を捨てていた。県の指導で一七年から撤去が始まったが、まだ大半の墓石が現場に残っているという。千葉県佐倉市では〇九年、茨城県神栖市でも一〇年に墓石の不法投棄が見つかっている。

これらの現状に対し、二百社以上の石材店などでつくる全国石製品協同組合の筒井哲郎事務局長は「墓石を自社で処分できずに産業廃棄物業者に委託する場合、処理の過程を追える産廃管理票（マニフェスト）で適正な流れを確認することが必須だ」と話した。

法の波間に埋もれる散骨

列島を強い寒波が覆っていた二〇一八年一月二十七日。神奈川・横須賀沖約八キロの東京湾で、紙袋に小分けした十人分の遺骨がまかれた。袋はすぐに溶けてなくなり、白い骨粉が煙のように海に広がった。

クルーザーから遺骨をまいたのは、横須賀市の海洋散骨業者「風」の北田亨代表（70）と妻の京子さん（67）だ。ショパンの「別れの曲」が船上で流れ、遺骨に続いて弔いの花が海に投げられた。家族が同乗しない場合の委託散骨は、一件五万円で請け負っている。

北田代表は散骨が今ほど知られていなかった一九九八年、経営していたデザイン会社を畳み、五十歳で起業した。当初は顧客のほとんどが「死んだら海に帰してほしい」と言い残した故人の家族だったが、二十年後の今はニーズが変わった。「墓じまいで取り出した遺骨をまいてほしい。そのような依頼が、この五年で急激に増えました」

東京都練馬区の岩田幸彦《さちひこ》さん（82）と妻恵美子さん（79）は一七年十月、恵美子さんの両親と姉、妹の四人の遺骨を相模湾にまいた。遠く離れた大阪で所帯を持った息子に「将来の負担を掛けたくない」と考え、埼玉県上里町にあった墓を閉じた。

岩田さんは毎年欠かさず墓参りをしていたが、高齢のため自宅から八十キロ近く離れた菩提寺《ぼだいじ》に車で出掛けるのが困難になった。一七年一月に恵美子さんが病気で入院した際には、夫婦の今後も話し合った。「墓を守ってくれたお寺さんには申し訳ないけれど」。悩んだ末に墓をしまい、自分たちの骨も「海にまいて」と息子に頼んでいる。

年間約一万件。三十一業者が加盟する日本海洋散骨協会の村田ますみ顧問（44）は、現在の全国の散骨件数をそう推測し、「墓じまいに伴う散骨は全国的に増えています」と話す。受注件数

東京湾の沖合約8キロでの散骨。袋はすぐに溶け、遺骨の粉が海に広がった。

の八割を墓じまいが占める業者もいる。

「ただ、課題もあります」。東京スカイツリーが見える終活カフェで、村田顧問が切り出した。一九四八（昭和二十三）年六月に施行された墓地埋葬法（墓埋法）は、第四条で「埋葬又《また》は焼骨の埋蔵は、墓地以外の区域に、これを行つてはならない」と規定している。つまり、遺骨は「埋める」ものであることが前提で、「まく」ことは想定していないというのである。

散骨が法律の枠外に置かれる一方で、ツイッターには書き込みが連なる。「父の遺骨を散骨した海岸」「死んだらお墓ではなく海に散骨して」……。海だけではなく、過去には上高地（長野県松本市）の河童橋から遺骨をまいた写真がネット上に投稿されるなど、個人による「ゲリラ散骨」が現れている。

「だからこそ法律上の位置づけが必要です」と言う。実際、村田顧問も多くの業者も国の対応を望んでいるが、厚生労働省の塚野智久生活衛生調整企画官（42）は「今のところ法令を見直す予定はない」と説明する。散骨が刑法の遺骨遺棄罪に触れるかについては、法務省刑事局刑事法制管理官室の担当者が「省としての公式見解はない」と言い切った。

合法なのか、違法か。線引きがはっきりしない中で、散骨の需要は膨らんでいく。月約四十件を請け負っている千葉市の業者には、新規参入希望者からの相談が相次いでいる。「ノウハウを知りたい」と聞かれるたびに、社長（46）は「本当に葬送を仕事としてやりたいのか、それとも単なる金儲けの手段なのか」と考え込んでしまう。

column 散骨を条例で規制する自治体も

散骨は「好きな海に帰してほしい」など故人の遺志による新しい葬送方法としても需要が増えているが、場所やモラルを巡るトラブルも起きている。国に基準がなく、合法か違法かの線引きがあいまいな中、本紙の調べでは少なくとも十二自治体が条例などを制定して独自に規制していた。

全国で初めて条例化に踏み切ったのは北海道長沼町だ。二〇〇四年にNPO法人が山林に計画した散骨専用の公園に対し、住民が「農産物への風評被害が心配」などと反発。町は〇五年、「何人も、墓地以外の場所で焼骨を散布してはならない」と規定する「さわやか環境づくり条例」を制定し、NPOは計画を断念した。

長野県諏訪市では〇五年、宗教法人が散骨場の建設を計画。長沼町と同様に住民の反対運動が起こり、〇六年に「墓地等の経営の許可等に関する条例」を改正して、散骨場経営を市長の許可制にした。改正条例は住民説明会や地元の同意も必要としている。

海に面した観光地・静岡県熱海市は一五年、民間業者による散骨場の計画をきっかけに、条例とともに海洋散骨業者向けのガイドラインを作成した。市の担当者は「無秩序に行われると、

散骨を規制する条例がある自治体（本紙調べ、※は要綱で規制）

北海道	岩見沢市、長沼町 七飯町※
埼玉県	本庄市、秩父市
神奈川県	箱根町、湯河原町
静岡県	御殿場市、熱海市 伊東市、三島市
長野県	諏訪市

風評被害などで熱海のブランドイメージが傷つく」と説明。陸地から十キロ以上離れた海域で行い、広告などで「熱海」を連想する文言を使わないよう事業者に求めている。

行政以外では、三十一業者が加盟する日本海洋散骨協会が一四年、「陸から一カイリ（約千八百メートル）以上離れる」「漁場や航路は避ける」などとするガイドラインを設けた。条例などで規制することには「散骨を希望する方々の思いを看過するもので残念」との立場を表明しており、業界内の自主的な対応として、海洋散骨のマナーや法律、船舶の知識を持つアドバイザーの検定試験を実施している。

納骨ビジネス――もどかしい線引き

病室の窓の向こうで重機が土を掘り返す。新生児室から、赤ちゃんの泣き声が聞こえてくる。「隣接地を購入して寺と納骨堂を建てる」。千葉県浦安市の佐野産婦人科医院に思いもよらぬ知らせが届いたのは、二〇一七年四月のことだ。その後、市内にある千光寺の伏島泰全《ふしまたいぜん》住職が説明に訪れた。「納得できない」と話す今野秀洋院長（44）に、住職は「法律や条例には違反していない」と告げた。

東日本大震災による液状化で傾いた建物の移転が建設の理由だった。その場所として不動産会社から買ったのが、東京メトロの浦安駅から徒歩二分ほどにある約四百五十平方メートルのアパートの跡地だった。

隣接する佐野産婦人科では、年間約六百人の赤ちゃんが生まれる。今野院長は寺と納骨堂の建設計画に反対し、医師会などの協力で約七千人の署名を浦安市に提出した。ただ、市は「条件に即している以上、駄目だという理由は成り立たない」と説明した。今野院長は「もうここではできない」と、病院の移転先を探している。

墓が郊外の一戸建てならば、納骨堂は都心のマンションだ。厚生労働省の衛生行政報告例によると、納骨堂は二〇一六年度末で全国一万二千四百四十カ所にあり、一九九〇年度に比べて大幅に増えている。東京都で二・一倍、愛知県は一・八倍、大阪府は二・六倍。ビル型の新設が多い。

墓石の撤去や移転を伴う「改葬」が増える中、納骨堂には狭い敷地に多くの遺骨を納められる利点がある。ただ、経営主体は自治体や宗教法人などに限られるため、資金力がある企業が寺と手を組む新たなビジネスが生まれている。

二〇一三年四月、東京の都心に地上五階、地下一階の納骨堂「赤坂浄苑《じょうえん》」がオープンした。永代使用料などを含めて、一区画百五十万円。金沢市に本院がある曹洞宗「伝燈院《でんとう》」が経営し、販売は仏壇仏具の大手企業が請け負っている。

オープンから一年がすぎた一四年六月、東京都は赤坂浄苑に固定資産税と都市計画税の課税を通知した。最終的な税額は約四百万円。伝燈院は納骨堂も「非課税」の墓地と同じだと主張して提訴したが、東京地裁は「宗教団体の主目的を実現するために使われていない」として棄却した。

都庁固定資産税課の小林孝幸課長（46）は取材に対して「社会通念上、宗教活動といえるのかどうかが、課税、非課税の判断基準になる」と説明した。課税対象にしている納骨堂は、伝燈院以外にもあるという。

一方、赤坂浄苑が事実上の収益事業とみなされた伝燈院の角田《つのだ》賢隆《けんりゅう》副住職（38）は「課税義務があるなら負う」としつつ、「ある程度の収益がなければ、寺も納骨堂も永続性を保てません」と思いを明かす。

遺骨の新しい安置場所として増え続ける納骨堂について、厚労省の担当者は「墓と同列。埋めるか、建物に納めるかだけの違いだ」と説明する。ただ、墓のように非課税なのか課税するのか、判断は自治体に委ねられている。

東京都は課税に踏み切ったが、小林課長は「ビジネスの側面もあるだろうが、納骨堂もお墓のように『神聖な場所』という見方ができるのではないか」と考える。墓地埋葬法にも地方税法にも規定はなく、現場でもどかしさを感じている。

増える無縁墓——片付けられない事情

薄暗い竹やぶに埋もれるように墓石が並んでいる。もろくなった石肌にツタが絡みつき、家名も建立年も読みとれない。熊本県の南端、人吉市の「瓦屋墓地」は、山中の敷地に八百四十四基の墓が点在している。

市が行った実態調査は驚くべき結果だった。使用者と連絡が付かず、墓守をする人もいない「無縁墓」が、瓦屋墓地の約九割、七百五十一基に上った。瓦屋を含めて十四カ所ある市有墓地全体では約千九百基。時間とともに荒れてゆく一方だが、市環境課の秋永敦課長（55）は「手の出しようがありません」と話す。

調査後にあった市議会一般質問で市有墓地からすべての無縁墓を撤去する場合の費用を聞かれた市は、「億単位と予想される」と答えた。人吉市の人口は三万人余りで、一般会計の予算規模は約百六十五億円。墓地整備に毎年数百万円しかかけられない中では桁違いの負担だ。

人吉市の市有墓地の多くは江戸時代に起源を持つ。各集落で生まれ、住民が自分たちの手で守っていた共同墓地が大半だ。戦後の市街地整備で土地の所有権は市に移ったが、それぞれの墓が誰のもので、いつからあるのか、十分に把握できていない。

主産業の林業が衰退し、人口はピークだった一九五五（昭和三十）年の七割に減った。木々が覆い、元の山に戻りそうな瓦屋墓地を見渡し、秋永課長は「細っていく地方都市は、どこも同じような問題を抱えているでしょう」と話した。

大都市も無縁墓に悩んでいる。大阪市平野区の市設「瓜破霊園《うりわり》」には、整然と手入れされた墓に交じり、「撤去予定地」の札が立つ区画がある。市は二〇一七年度、この霊園で無縁墓の整理を始めた。一八年三月末までに、まず四十七区画を更地に戻す。

一区画の撤去には四十万円ほどの公費がかかるが、同じ区画の新たな使用権を売り出せば一平方メートルにつき八十万円が霊園に入る。ただ、事業管理課の片岡誠司課長代理（46）は「収入だけを考えれば無縁墓をどんどん撤去すればいいのですが、そう簡単にはいきません」と明かす。

墓地の管理者がその墓を無縁墓と判断して撤去するには、墓地埋葬法に基づく手続きが必要だ。現場に立て札などを掲示して使用者らに連絡を求め、官報に公告する。期間はともに一年。「でも、後になって使用者や遺族が現れたら……。しゃくし定規には進められません」と話す。

実際、別の場所にある市設霊園で無縁墓の整理を進めた際、公告期間がすぎた墓に、遠い親族だという夫婦が「久しぶりに大阪に寄ったので」と供養に来たことがあったという。今回更地にする四十七区画も、市は五年かけて撤去対象を絞り込んだ。

市内最大、甲子園球場七個分の敷地に一万二千区画を超える墓が密集する瓜破霊園では、今も半数近い約五千七百区画を対象に無縁墓かどうかの調査が続いている。お盆や彼岸が終わると現場の職員十数人で花が供えられていない墓を見つけ出し、戸籍や住民票を頼りに使用者をたどっている。

「その中に、本当に撤去していい墓がどれだけあるのでしょうか」。広大な墓地を見詰めながら、片岡課長代理がつぶやいた。

---

column 無縁墓の撤去、自治体にツケ

政令指定都市や県庁所在地など八十自治体を対象にした本紙アンケートで、公営墓地にある無縁墓の実数を把握していたのは二十四自治体。無縁墓の合計は一万六千五百十七基・区画に上ったが、墓地埋葬法が撤去時の具体的な扱い方を定めていないため、対応の仕方は自治体によってまちまちだ。

旧加賀藩主の前田家も眠る「野田山墓地」を管理している金沢市は墓地を十一のブロックに分け、一九七七年、無縁墓の大規模な整理に着手した。これまでに七ブロック、計三千七百六十二基を撤去し、現在も一つのブロックで作業を進めている。

東京都は二〇一二〜一六年度にかけて、計千百七十五区画で無縁墓を撤去した。納められていた遺骨の移し先になる「無縁塚」も順次、増やしている。岐阜市はこれまでに二百

公営墓地の無縁墓の状況

無縁墓の有無　○ ある（数字は基・区画、－は実数不明）　× ない　△ 不明

自治体名			自治体名		
札幌市	△		津市	×	
函館市	△		大津市	×	
旭川市	△		京都市	○	－
青森市	○	－	大阪市	○	3955
八戸市	△		堺市	△	
盛岡市	○	－	高槻市	△	
仙台市	○	－	東大阪市	△	
秋田市	×		神戸市	○	－
福島市	○	－	姫路市	△	
郡山市	△		尼崎市	○	5
いわき市	×		西宮市	○	－
水戸市	○	－	奈良市	○	－
宇都宮市	○	35	和歌山市	○	－
前橋市	○	16	鳥取市	×	
高崎市	×		松江市	○	14
さいたま市	○	141	岡山市	○	－
千葉市	○	51	倉敷市	○	1
船橋市	△		広島市	○	－
東京都	○	250	呉市	△	
八王子市	○	7	福山市	○	－
横浜市	○	887	山口市	△	
川崎市	○	71	下関市	○	－
相模原市	○	－	徳島市	△	
横須賀市	○	2	高松市	○	8344
新潟市	○	－	松山市	○	－
富山市	○	－	高知市	△	
金沢市	○	－	福岡市	○	6
福井市	○	－	北九州市	○	－
甲府市	○	10	久留米市	○	850
長野市	○	1	長崎市	△	
岐阜市	×		佐世保市	×	
静岡市	○	7	熊本市	○	882
浜松市	○	47	大分市	○	752
名古屋市	○	157	宮崎市	○	－
豊橋市	○	－	鹿児島市	○	－
岡崎市	○	26	那覇市	△	
豊田市	○	－	合計		16517

アンケートの方法　２０１８年１月17日～26日、政令指定都市、県庁所在地、中核市の79市と東京都を対象に実施。公益墓地の有無や無縁墓の実数、撤去の状況などを書面で尋ね、回答率は１００％だった。

八十一区画で撤去し、墓石などを霊園の一角で一時保管している。

　その一方、人手不足や予算的な理由により撤去をためらう自治体も少なくない。横浜市は一七年九月、管理料の支払いが滞り、無縁化が疑われる八百八十七区画を把握した。だが、戸籍や住民票に基づく縁故者の調査や立て札による公告など「多くの労力と時間を要する」（同市環境施設課）ため、具体的な撤去には至っていない。

福井市は職員の見回りや利用者の通報から、数十基程度が無縁化しているとみているが、撤去には一基あたり五十万円以上かかると想定されるため、予算化はしていない。

無縁墓の有無などの質問とは別に設けた自由記入欄には、法整備など国への要望が寄せられた。浜松市は、放置された墓石の撤去や遺骨を合葬墓などに移す「改葬」について「取り扱いは法の解釈もさまざまで明確な手順が無く、手探り状態にある」と回答。愛知県豊田市は「国は実務的な内容を含めた指針を定めてほしい」とした。

アンケートで公営墓地があると回答したのは七十三自治体。うち四十九自治体が無縁墓を抱えている一方で、二十二自治体が「撤去していない」と答えた。無縁墓が「ない」としたのは八自治体。十六自治体は、無縁墓の有無を「把握できていない」と答えた。

檀家が減って寺院は存続困難に

兵庫県南あわじ市。淡路島にあるこの町から人が減り始めたのは、一九九五年一月十七日、隣接する同県洲本市で「震度６」を観測した阪神大震災の後からだ。

町は四百年の歴史を持つ「淡路瓦」を地場産業に栄えてきたが、震災で多くの家屋が倒壊した原因が「重い瓦のせいだった」との風評が広がり、出荷が減った。人口は十年前の約五万二千九百人から五千人近く減少し、六十五歳以上の割合を示す高齢化率は33・5％に達している。

「人口とともに、寺から檀家《だんか》が減っているんです」。南あわじ市内にある日光寺で、森田俊寛《しゅんかん》住職（35）がつぶやいた。約一万平方メートルの墓地には年代が分からない土葬の墓を含め、千基を超える墓石が並んでいる。「うち数百基は『仏さん』ではなく、誰も世話をしない『ほっとけさん』の墓です」。森田住職がため息まじりにそう言った。

使用者が分からない「無縁墓」は年四千円の管理料が請求できず、寺の負担で更地にしても買い手が見つかる保証はない。震災前に八百五十軒ほどあった檀家は、約半分の四百四十軒にまで減った。三～四年前からは「墓じまい」が年に十件ほどある。

日光寺の檀家でタマネギなどを栽培する農家の女性（69）は、将来の墓じまいを夫（68）と話し合っている。四十代の娘二人は結婚して実家を出ており、後継ぎはいない。墓は女性の父親が一九七〇年ごろに建て、両親と祖父母の遺骨が納められている。女性は「みんな一度取り出して、永代供養墓に入れるしかないんかな」と考え始めている。

葬儀や法要のお布施、墓地管理料が主な収入源の寺にとって、檀家の減少は寺の存続に直結する。宗教専門紙「中外日報」の二〇一五年の調査によると、曹洞宗、浄土真宗など十大宗派の約六万二千寺のうち、住職がいない、もしくは代理の住職が兼務している寺は、少なくとも全国で約一万二千寺に上った。

石川県加賀市。ＪＲ北陸線の大聖寺《だいしょうじ》駅から徒歩十分ほどの実性院《じっしょういん》で二〇一七年六月、七十一歳だった住職が亡くなった。江戸時代の地元藩主の菩提《ぼだい》寺で、檀家は五十数軒。後継者はおらず、福井県あわら市の僧侶が兼務している。その僧侶も八十七歳と高齢で、法要や葬儀のため加賀に足を運ぶのは月に二回ほどだ。

寺の経理や墓参者の対応には、亡くなった住職の妻石原満里さん（70）と檀家総代の田中豊さん（71）が無報酬で当たっている。ただ、林の斜面に点在している墓の管理は重労働だ。「墓の数は約百五十基あるんですが、さすがに体にこたえますね」

冬は雪の重みで折れた枝が墓石にかぶさり、夏と秋は雑草や落ち葉に覆われる。お盆とお彼岸、正月の前は業者に清掃を頼んでいるが、寺の経営は厳しく、費用がのし掛かる。

田中さんは病気で妻を亡くしている。実性院には本家の墓もあるが、田中さんは妻のために新しい墓を建てた。三人の子どもは故郷を離れて暮らしている。将来、戻ってくる予定はない。

寺の世話をしながら、週に一度は妻の墓に手を合わせる。自分もいつかはこの墓に入る。体が動く限りは「守る」と決めているが、高齢化した檀家や都会に出て行く跡取りの姿を見ると、守る世代が消えてしまうのではないかと田中さんは不安になる。

interview

第一生命経済研究所主任研究員

小谷みどりさんに聞く

死後の安寧をすべての人に

無縁墓の問題は、各地で問題化している空き家と同じです。ただ、住む人も継承する人もいなくなった空き家が街の中にあるのに対して、墓は郊外にある。住民の生活環境に直接影響を与えないため、放置されがちになっています。

日本では公営、民間を問わず、家族が代々入るという同じ形態の墓を作ってきました。ところが、今はライフスタイルが変わった。核家族化が進み、一九九〇年ごろからは生涯未婚率も伸びています。子孫がいれば同じ墓に入れますが、いなければ無縁墓になってしまう。だからこそ、自治体は先手を打たなければなりません。

例えば、十年や二十年といった期限を設け、その後は遺骨を取り出して合葬墓に入れる

「レンタル墓」のような仕組みです。墓を継承する子どもがいなくても、場所を共有してみな平等に入れます。そのように、時代に合った新しい形態の墓が必要になります。

「先祖の墓には入らず、家族の墓を作りたい」という人も増えていますが、地縁、血縁の関係性が薄れていく中で「家族」や「集団」の概念は変わりつつあります。生前のつながりは必ずしも家族に限られず、友人同士など新たな横のつながりの墓がこれから増えてくると思います。

日本の墓地政策は「生活衛生」の観点で行われ、「公共政策」として捉える認識が薄いのが特徴です。経済的な理由や家族、子孫の有無にかかわらず、どんな人も等しく葬られ、死後の安寧が保証されるべきです。

近年は生前に墓地を購入する人が増えていますが、それは死後に対する不安の表れのようにも映ります。亡くなった人へのサービスではなく、生きている人へのサービスとして、住民に安心感を与える「福祉」の視点が何より大切です。

▼こたに・みどり　1969年、大阪府生まれ。第一生命経済研究所主席研究員。専門は生活設計論、死生学、葬送問題。著書に『だれが墓を守るのか――多死・人口減少社会のなかで』（岩波書店）など。奈良女子大や大阪教育大などで非常勤講師も務める。

●取材の周辺●――小笠原寛明

人の最期に社会は何ができるか

記者という職業柄、これまで事件や事故、災害の現場で、多くの死に接してきた。けれども、一期一会の取材で、失われた命とどこまで向き合えたのかを振り返れば、後悔は数え切れない。ましてや、病気や寿命といった「普通」の死に、どれほど関心を払ってきたのか。死が当事者や家族にとって一大事であるのは言うまでもない。ただ、報道機関としては、特段の特異性が認められない限り、紙面の片隅のおくやみ欄で粛々と扱うのが「常識」でもある。

年間で百三十万人以上が亡くなっている日本は、高齢社会を経て多死社会に突入したとされる。死者数は今後も増え続け、団塊世代の多くが鬼籍に入る二〇三〇年代後半には、百七十万人近くに達する。その規模の大きさから、死は単に個人や身内の物語という枠を超え、社会のありようそのものに変化をもたらすのではないかと想像させる。

その現れの一つなのかもしれない。「終活」ブームが象徴するように、これまでは口にすることがはばかられるような死に関連する話題が、公然と語られる機会が増えてきた。とはいえ、それらの多くは遺産相続や遺品整理といった「ハウツー」に関する話題に偏りがちな印象もぬぐえない。

もっと真っすぐに、死そのものと向き合えないか。そんな思いを抱きながら、最初の取材現場として同僚と向かったのが火葬場だった。厚労省によれば、現在、日本人の99・9％は火葬されるという。つまり、火葬場は私たちが亡くなると必ずといっていいほど行く場所ともいえる。

取材に応じてくれた愛知県内の火葬場で初めて目にしたのが、遺体を焼いた後、遺族が骨壺に収めずに残していった「残骨灰」の山だった。コンクリートがむき出しになった十畳足らずの薄暗い空間に十数個のドラム缶が並び、一部が満杯になっていた。

天井には、火葬炉が設けられた空間からつながれたパイプが取り付けられており、そのパイプの口から残骨灰が吐き出される仕組みだ。立ち会った職員によれば、業者が月一回、回収に来るものの、「直前になると、ドラム缶からあふれた残骨灰が富士山のように積み上がっていることもある」という。

遺族らが持ち帰った骨（遺骨）が弔いの対象となり、その扱いによって時に刑事罰の対象となるのに対し、残骨灰は一般的に「ごみ」として扱われる。だが、実際は残存物に含まれる微量の金やレアメタルの回収を狙った業者らが、「仁義なき」ともいうべき争奪戦を繰り広げていた。

取り締まる法規制はない。

本紙が報じた内容はその後、国会でも取り上げられ、厚生労働省は実態把握を目的に、初めて全国規模での調査に乗り出した。調査の結果からは、処理を委託する自治体の半数近くでゼロ・一円という超低額入札が起きている現状が判明、業者間の競争の過熱ぶりがあぶり出された。

本紙の報道を追認する形となったものの、厚労省は「監督権限が無い」として、自治体に対しての「指導」は行わず、「お願いベース」の文書での注意喚起にとどめた。対応は従来通り、各自治体の判断に委ねたままだ。

残骨灰にとどまらず、法の不備は新たな葬送の「かたち」にも及んでいた。海や山に遺骨をまく散骨は一九九〇年代以降、一般にも知られるようになった。一方で、戦後間もなく制定された墓地埋葬法は遺骨を墓地に「埋める」のが前提で、「まく」ことを想定しておらず、法的には今もグレーゾーンにある。

散骨を巡っては、人生の最期を私らしく終えたいと願う人たちの一方で、墓を維持できないといった経済的な事情などから消極的に選択する人たちもいる。「安さ」を強調する葬送業者も目につくが、国は沈黙を続ける。

社会問題化した孤独死も、公の不在と無縁ではない。核家族化や都市化が進んだ結果、高齢世帯の三割近くを独居が占めるようになり、頼りになるはずの親族も身近にいない。葬式や納骨、遺産の整理といった死後の事務を、誰に託せばよいのか。途方に暮れる高齢者らにつけ込む詐欺まがいの団体が後を立たないが、行政の対応は後手に回っている。

かつては当たり前だった大家族であれば、顕在化しなかった問題なのかもしれない。だが、家族の単位が縮小し、その機能が弱体化する中で、「自己責任」の名目で、本人や家族だけにその役目を負わせ続けるのは到底無理がある。国の関与と同時に、社会や地域がどのように多死社会を支えてゆくのか。人知れず積み上げられた残骨灰の山が、問い掛けている。

3　遺品の行方

人がこの世を去っても、その人生を彩った品々が消えるわけではない。大量に生み出される遺品はどこへ行くのか、行方を探る。

公営住宅4号室――暮らしの跡、処分に壁

食卓に置かれたままの湯飲みは、内側に茶色い筋を残して干上がっている。食べかけてふたを閉じた総菜のパックには、二〇一六年八月九日の消費期限ラベルが貼られていた。

名古屋市近郊の町にある公営住宅の「4号室」。あるじを失い、一年以上が過ぎた2DKには、生前の暮らしがそのまま残っていた。晩年は体の自由が利かなかったのだろうか。介護事業所の日程表を冷蔵庫にテープで留め、布団は食卓の真横に敷かれている。

入居していた男性が病気で亡くなり、家財道具が残されたままの公営住宅「4号室」。

詰め込んだシャツやトレーナーがあふれ出そうになった洗濯機。和室の壁に立て掛けられた釣りざおとリール。広さ一畳に満たない玄関には、ドアの郵便受けから投げ込まれたチラシや携帯電話の請求書が散乱していた。

入居していた男性は一六年十二月三十一日、入院先で病死した。六十六歳だった。「それ以来、生ごみなどを簡単に片付けたほかは、まったく手を付けられていません」。この住宅を管理する自治体の担当者が、ずり落ちそうなカーテンを見つめながら話した。

死亡した人の遺品は配偶者や子どもなど相続人のものになり、処分には全員の同意が必要だ。担当者は4号室の男性の戸籍を取り寄せたが、婚姻歴はなく、子どももいなかった。「両親は男性が幼いころに亡くなっていました」。この公営住宅には4号室だけではなく、相続人不在の入居者が死亡した部屋がもう一つある。そこでも一年以上、遺品が置かれたままになっている。

今、この国では多死社会と同時に、未婚率の上昇や独居高齢者の増加が進んでいる。内閣府によると、六十五歳以上の単身世帯は二〇一五年に約六百二十四万世帯に上り、五年前から倍増した。孤独死も増え、相続人がいなかったり、引き取りを拒否されて遺品が置き去られている住宅は全国各地に存在する。

「遺品の処分ができなければ新規の賃貸に回せない」との訴えに対して国土交通省は一七年一月、相続人がいない場合は財産権を侵害しないように配慮しながら遺品の移動や保管に努める、とする指針をまとめ、全国の自治体に通知した。

ただ、通知から一年が過ぎても実態に変化はなかった。都道府県など計六十七自治体を対象にした取材班のアンケートでは、全体の四割が単身入居者の遺品が置かれたままの部屋を今も抱えていた。

国の指針を「あいまいだ」とする自治体も少なくない。市営住宅の遺品の扱いが一五年十二月の市議会で取り上げられた大阪府八尾市の岩本慶則建築部次長（54）は「財産権の問題を解決して遺品を処分するには、公営住宅法などの改正が欠かせません。国は現場に責任を押しつけているようです」と感じている。

相続人が見つからない場合は裁判所に申し立て、弁護士などの相続財産管理人を通じて遺品を処分できるが、コストと事務作業がのしかかる。岩本次長は「一部屋につき、少なくとも数十万円の公費と一年以上の時間がかかります」と話す。

名古屋市近郊の公営住宅は4号室が入っている棟が老朽化し、現在の入居者がいなくなり次第、取り壊される。それまではこのまま保管できても、最後は遺品を処分しなければ解体に踏み切れない。「いずれ大きな課題になるでしょう」。自治体の担当者はそう言って、男性が十三年暮らしていた部屋の中を見回した。

早くに死別した男性の両親のものだろうか。片隅に、男女二人の古い位牌がまつられていた。見守る人も引き取り手もなく、いつかは家財道具と一緒にこの部屋から運びだされていく。

column 引き取り手のない遺品

都道府県と全国の政令指定都市を対象に本紙が実施したアンケートでは、公営住宅で引き取り手のいない遺品をそのまま保管していると回答したのは、愛知県、神奈川県、名古屋市、川崎市など二十七自治体に上り、全体の約四割を占めた。遺品が残されている住宅は計六百二十七戸に上った。

遺品の所有権は、民法の規定で親族などの相続人にある。相続人が家庭裁判所で相続放棄の手続きをすれば、自治体が遺品を処分できるが、相続人に連絡がつかなかったり、相続を拒まれたりして、処分が滞るケースが相次いでいる。

相続人が見つからない場合、相続財産管理人を家庭裁判所に申し立て、財産を処分する方法もある。ただ、老朽化した公営住宅では次の入居が見込めないこともあり、「費用対効果が著しく悪い」と訴える自治体もあった。

一方、入居待ちの多い公営住宅では、法的な根拠があいまいなまま遺品の処分に踏み切る自治体も少なくない。

公営住宅に遺品が残されている自治体

岩手県	8	愛媛県	6
宮城県	10	高知県	1
群馬県	1	福岡県	4
埼玉県	6	長崎県	2
神奈川県	不明	大分県	5
岐阜県	2	札幌市	5
愛知県	72	川崎市	21
三重県	1	名古屋市	30
滋賀県	2	京都市	9
京都府	22	岡山市	15
大阪府	190	広島市	4
鳥取県	2	北九州市	103
岡山県	70	熊本市	5
広島県	31	合計	627

※単位は戸

アンケートは2018年２月26日～３月８日、都道府県と政令指定都市の67自治体に書面で実施し、回答率は100％だった。

千葉県、長野県、横浜市、名古屋市など二十八自治体が、職権で廃棄することがあると回答。二〇一六年度には二百五十二戸で家財などが処分された。

入居者の高齢化を背景に「遺品が置き去りにされた公営住宅がますます増える」との懸念や、「所有権の問題を解消する法整備」など国への要望も寄せられた。

新規参入相次ぐ整理代行——故人の品が再び世へ

線香がたかれた和室で、段ボール箱に生活用品や衣類が詰め込まれてゆく。東京都調布市の住宅街、バス通りから一本入った築五十年の木造民家。道路脇に止めた二トントラックに段ボール箱を運び込む作業員は、故人の生前の持ち物を遺族に代わって片付ける遺品整理業「プログレス」(京都市)の社員だ。

この家に住んでいた女性は二〇一七年一月、七十四歳で病死した。夫と二人の息子に先立たれ、五年近く独りで暮らしていた。五人いた女性のきょうだいは四人が既に亡くなっており、女性の家は兄(82)が相続した。その長男で、神奈川県内で暮らす会社員の男性(54)が、業者に整理を依頼した。

男性は海外生活が長かったこともあり、女性の家族とは手紙のやりとり程度のつきあいだった。亡くなる二カ月前、「足が痛い」と歩くのを嫌がった女性を、病院までおぶって連れて行ったのが最後になった。「離れて暮らしているので、妻と二人で遺品を片付けるのは大変だと思った」と男性は話す。依頼先の業者はインターネットで見つけた。

核家族化にとどまらず、無縁化が現代のキーワードになった。遺品の整理代行を手掛ける業者は急増し、二〇一一年に設立された遺品整理士認定協会（北海道千歳市）の会員企業は約八千社に上る。小根《こね》英人副理事長（40）は「それでも業界全体の半数にも届いていない」と話す。需要の高まりで、清掃業や廃棄物処理業からの新規参入が相次いでいるという。

依頼主の男性が見守る中、女性宅の整理が進んでゆく。衣装だんすの奥にしまわれていたビニール製のバッグやキルティングのティッシュケース、ネクタイ、目覚まし時計、そして家具……。男性に確認しながら、遺族に引き渡す物と処分する物を分ける。

「こちらは供養でよろしかったですよね」。七人の作業員を束ねるリーダー役の本田啓夫《たかお》さん（29）が男性に尋ねた。女性の家族が残したアルバムが、段ボール箱で四箱分遺されていた。提携先の寺院の僧侶が、他の現場で引き取った遺品と共にお経を上げて弔うという。「遺品への思いは十人十色。ごみだから、とにかく全部持って行ってくれという人もいます」。作業の手を休めることなく、本田さんが言った。

二階建て、台所を含めて五部屋の整理は四時間半ほどで終わった。依頼主の男性は、がらんと

遺族の男性と相談しながら遺品を整理する作業員（左）。

した家の中を見渡し、「やれやれという思いです」と話した。「でも、叔母の家族が暮らした家が無くなってゆくことへの複雑な思いもあります」。費用は二十八万円。家は解体して更地にし、不動産業者に売るという。

女性が大切にしていた着物や足踏みミシンなどが形見として残され、ほとんどの遺品がトラックに積み込まれた。中古カメラや家庭用ゲーム機などは業者が遺族から一度買い取り、ネットオークションやリサイクル店で次の買い手を探す。

それ以外の遺品は無償で引き取られるが、業者がごみとして廃棄するのはわずかだ。「基本はリサイクル。捨てるのではなく、故人が大切に使っていたものを別の人に使ってもらいます」。本田さんはそう話し、続けて言った。

「需要があるのは日本だけではありません。行き先は海外にも広がっています」

遺品、海を渡る――ユーズド・イン・ジャパンが人気

フィリピンのマニラ首都圏モンテンルパ市。二〇一八年二月二十八日、蒸し暑さで汗ばむ倉庫の一角に、競り人の威勢のよい声が響いた。「二百ペソ、二百五十、三百……」

約五十人のバイヤーが、それぞれに振り分けられた番号を掲げて目当ての品を競り落としてい

く。オークションにかけられた家具や家電、台所用品など約千点は、いずれも日本からの中古品だ。その九割近くを、横浜港から船で輸出された日本人の遺品が占めていた。

オークションは、現地に本社がある運営会社リサイクルパークジャパン（ＲＰＪ）がマニラ近郊の三カ所で開いている。モンテンルパ市では週二回の開催。ＲＰＪは以前、日本で使われた中古のブラウン管テレビなどの輸出と輸入を手掛けていたが、一四年ごろオークション業に乗り出した。

きっかけは、不用品の回収業者が千葉市にあるヤードに運び込むリサイクル品の変化だった。「遺品整理で出される品物が急増したんです。引っ越しなどの不用品とは量がまるで違います」。ＲＰＪ日本責任者の曽根順子さん（47）はそう話す。搬入される品物を通じ、核家族化や無縁化などによる遺品整理の需要の高まりを感じていたというのだ。

集まった遺品や中古品は四十フィートのコンテナに積み込まれる。長さ十二メートル、高さ二・六メートル、幅二・四メートルの大きさで、四トントラック三、四台分の量だ。千葉市から陸路で横浜港に運び、月に四十～六十個をフィリピンに輸出する。一個当たり約七十万円の輸送費がかかるが、オークションではその倍の売り上げがあるという。

モンテンルパ市のオークション会場で競りに参加していたビセンテ・アルベルトさん（66）は、「ジャパン・ストア」と名付けたリサイクル店を営んでいる。アルベルトさんによると、落札価格と店での売値は「五千ペソならば八千ペソ。一万ペソならば一万五千ペソ」。一ペソを日本円に換算すると約二円。一枚三十円の小皿のほか学習机やマッサージ器、最も高い七万円の収納家具などが店内に並んでおり、平均月収数万円の国で中間所得層以上の顧客が買っていく。

同じようにフィリピンでオークションを開いている「ゼロプラス」（愛知県豊橋市）の荒津《あらつ》寛社長（42）は、輸出してもすぐに売り切れるリサイクル品の価値を「ユーズド・イン・ジャパン」と表現する。「メード・イン……でなくても、日本で使われたことが品質の証しになっています」。同社は遺品整理代行業も手掛けており、依頼者には引き取った遺品の一部を「輸出する」と伝えている。

一方で、アルベルトさんの営むジャパン・ストアに「遺品」の表示はない。ただ、常連客の弁護士ベンハミン・フォルモソさん（74）は承知の上で買っている。「故人の魂が宿っていると言う人もいるけれど、私はまったく気にしません」。これまでにソファやテーブルセットを手に入れ、この日も「何か掘り出し物は入ったか？」と顔を出した。

フィリピンは旧日本軍が戦争に巻き込んだ歴史を持つ。輸出を始めて三年になる荒津社長は「それでも、フィリピン人には日本への素朴なあこがれがある」と感じている。多死社会の日本から送られた遺品が再び生かされている様子を思い、「亡くなったおじいちゃんの茶わんでフィリピンの子どもがスープを飲んでいる。そういう場面は十分想像できます」と話した。

マイクを持つ競り人の威勢のいい声が響くマニラ首都圏モンテンルパ市のオークション会場。

遺品整理業者をめぐるトラブル――不法投棄や高額請求

わずか三分の犯行だった。

二〇一七年七月二十五日、札幌市にあるリサイクル会社「マテック」の無人回収施設で、ワゴン車から降りた三人の男が回収ボックスに土のう袋を投げ入れて立ち去った。作業に訪れた社員の加藤翔吾さん（34）が袋に気付き、本社に連絡した。防犯カメラには不法投棄の一部始終が写っていた。

その三カ月半後、北海道警は廃棄物処理法違反の疑いで、遺品整理などを請け負う便利屋の社長（41）らを逮捕した。依頼者に「合法的に処理するから料金が高い」と話して数十万円を受け取る一方で、計三回、合わせて約四百キロを不法投棄していた。故人をしのばせるアルバムや賞状なども捨てていた。

社長は公判を受けている。自宅で取材に応じた父親は「処理費用を抑えたかったらしい。ただ、遺品まで捨てていたなんて」と話し、膝の上で拳を握ってうつむいた。雪をかき分けながら、「息子がしたことだから」と被害品を一人で片付けたという。

遺品整理を巡るトラブルは不法投棄だけではない。二〇一一年九月に遺品整理士認定協会（北海道千歳市）を立ち上げた木村栄治理事長（53）が業界に参入したきっかけも、トラブルだった。忘れたくても忘れられない自身の体験だ。

前年に父親を亡くした木村さんは、地元の業者に遺品整理を依頼した。「こちらは捨てていいですね」。父親が風呂上がりにいつも着ていた水色と白のストライプのパジャマを段ボール箱に放り込まれたとき、尊厳が傷つけられたような気がした。思わず「お金は払うので作業を止めてもらえませんか」と言った。結局、遺品は一カ月かけて自分で整理したという。

「終活」という言葉がユーキャン新語・流行語大賞のトップ10に入ったのは一二年のことだ。その年に認定協会の取り組みがインターネットで紹介されると、初日だけで約六百件の問い合わせがあった。その八割以上がビジネスチャンスと捉えた新規参入の希望者だった。発足時に百三十五社だった協会の会員企業は、八千百二十六社に増えている。

ネット上には遺品整理業者のさまざまな宣伝文句が躍る。「追加請求なし三万円」「即日対応」「外注なし」……。その中で、東京近郊に本社がある業者に電話をすると、応答した男性は「今はトラック一台で一万円。適正に処理しています」と言った。ところが、具体的な処理方法を尋ねると「もういいですか」と電話を切り、取材を断った。

遺族が引き取らず、リサイクルにも回されない遺品は、一般廃棄物として処理される。収集や運搬には市町村の許可が必要だが、「トラック一台で一万円」と答えた業者は自治体の許可を得ていない。

全国の許可業者でつくる全日本一般廃棄物収集運搬協同組合（東京）の山根祥二事務局長（62）は「単身者宅の片付けで出る遺品は八立方メートルほど」と説明する。二トントラック程度の量で、遺品整理費以外にかかる処理費用の相場は約八万円という。

「遺品には故人の思いや生活が詰まっています。不用品やごみではないんです」。認定協会の木村理事長はそう話し、整理士の国家資格化を国に働き掛けている。遺品のすべてを「捨ててほしい」と業者に頼む遺族もいるが、木村理事長自身は捨てられそうになった父親のパジャマを今も家族で大切に持っている。

column 適切な整理業者を選ぶために

故人の自宅などを遺族に代わって片付ける遺品整理業が増える中、見積もり料金を大きく上回る高額請求などのトラブルも一部で問題となっている。

独立行政法人国民生活センターによると、遺品整理に関する相談は「廃品回収」に含まれるため個別の増減傾向は分からないが、全国各地からトラブルの声が寄せられている。

二〇一八年一月にあった相談は、四国地方の九十代女性からだった。亡くなった娘の自宅を片付けるため遺品整理業者を利用し、遺品一式を女性宅まで三十万円で運んでもらうことになっていたという。

ところが、業者は遺品の一部を女性宅の駐車場までしか移動させず、「家の二階まで上げるなら、さらに二十万円が必要」と要求した。女性は契約当初と違う内容に困惑したが、自力では遺品を運べないため、やむなく支払った。

別のケースでは、二十代の女性が見積もりのために業者を自宅に呼んだところ、初回はあいさつ程度で終了。二回目の訪問では業者が五、六人の作業員を連れて現れ、見積もりや料金の説明をせずに突然作業を始めて、百万円を請求されたという。

遺品整理・解体業「グラム」（愛知県豊田市）の深田勝善社長（36）は「多くの人は遺品整理を利用した経験がなく、信頼できる業者を選ぶのは簡単ではない」と指摘する。以前、別の業者からの高額請求に悩んでいた利用者に見積書の内訳を見せてもらったところ、「電子レンジのコンセントを抜く」という項目だけで「二千円」と書かれていたこともあったという。深田社長は「手間がかかっても三社程度の見積もりを取り、落ち着いて比較してほしい」と話す。

業界の健全化を訴える遺品整理士認定協会（北海道千歳市）は一七年十二月、「不用品回収健全化指導員」の資格を設け、これまでに約三百人が取得した。指導員の多くは遺品整理業者で、自社のホームページやチラシなどを通じて、悪質業者の被害に遭わないためのアドバイスなどを周知するという。

生前に家じまい——子どもに迷惑かけたくない

車一台がやっと通れる坂道の途中に、その家はある。愛知県犬山市、青い瓦屋根の平屋。今は空き家だが、二〇一七年の夏まで高齢の女性（81）が一人で住んでいた。

玄関には女性が作った切り絵や、一七年八月で止まったままのカレンダーが掛けられている。戸棚は重ねた食器でいっぱいで、押し入れには布団が詰め込まれている。女性は仏壇にある両親の位牌と遺影を持ち出し、市の相談窓口を通じてこの空き家を売却する。

一九七二（昭和四十七）年、勤めていた自動車部品会社の融資制度で建てた家。庭にヤマボウシを植え、夏は木陰でコーヒーを楽しんだが、二〇一七年七月末に体調を崩したことをきっかけに、愛知県安城市へ嫁いだ娘のもとへ身を移した。

夫とは随分前に別れた。娘は自宅を持っており、犬山市の空き家は「いらない」と言っている。売却を決めたのは、自分の死後に残る家を子どもが片づけなくていいように、生前に自分で整理するためだ。

家じまい。一般社団法人「心結《しんゆう》」（兵庫県西宮市）の屋宜《やぎ》明彦代表理事（38）は、高齢者が晩年に自宅を手放すことや、両親の死後に残った家を遺族が売ることをこう呼ぶ。不用品回収や遺品整理業に長く携わってきたが、高齢者本人や家族が「家はどうしよう」と話すのを五、六年前から聞くようになった。

心結には月に六十件ほどの相談があり、その半分が生前の家じまいに関する内容だ。「子どもに迷惑をかけたくない」「自分のことは自分でやりたい」。実家を出た子どもと離れて暮らす高齢者は、そんな思いを抱えている。屋宜代表理事は「単身の高齢世帯の増加や終活の広がりなどで、生前の売却はさらに増えるだろう」と予測する。

犬山市の女性は、両親と姉を看取った経験がある。遺品整理は業者に頼んだが、費用がかさんだ。自分は娘に負担をかけないように、家財道具の整理も生前に済ませようと考えている。

築四十六年の家は、隣接地に残っている両親の家とともに、市内の借家に夫婦で住む男性(72)が購入することになった。売却額から手続き費用や荷物の処分代などを引くと、女性の手元に残る額は「来年、成人式を迎える孫娘の着物を買えるくらいです」。担当の不動産業者には「安い、高いじゃなくて、売れるだけでもいい方」と言われたという。家屋は、周囲に商店などがない山のふもとに立っており、場所的には売れない可能性もあった。

一七年の暮れ。女性は娘の家から犬山市に戻り、新しい年を一人で迎えた。この家で過ごす最後のお正月。床の間にはいつもの年と同じように、富士山とタカ、なすびを描いた切り絵を飾った。昔、遊びに来た孫たちに手料理を振る舞った居間の座卓、台所の鍋やまな板……。離れる前の暮らしや思い出が、そのまま残っている。

「くよくよ考えても仕方がない」。女性は心残りを吹っ切るかのようにそう言った。

column のしかかる形見

離れて暮らす両親が残した家。親の死後に相続したものの、故郷に帰る予定はなく、処分を決めた人がいる。

横浜市港北区で保育園運営会社の代表を務めている男性（57）は、父親が他界した二〇一四年、金沢市内にある家を相続した。「親がせっかく残してくれた家と土地」との思いもあったが、売却する。

約五十年前に父親が購入した木造二階建て。母も亡くなり、両親が残した家電などは遺品整理業者に頼んで片付けた。家屋を観光客向けの「民泊」などに使おうとも思ったが、改修費用や管理の手間を考え、踏ん切りがつかないまま空き家になっていた。

売却を決心したのは、一八年一月。空き巣が入り「いつまでも放置しておくのは良くない」と思うようになった。「売ったお金で僕らが幸せに暮らしていければ、父も喜びます」と話す。今は不動産業者と具体的なやりとりを進めている。

放置しておくのか、賃貸か売却か、それとも取り壊すのか。空き家の所有者を対象にした国土交通省の一四年の調査では、今後五年ほどの予定を「所有者や親族が使う」とした

両親の遺品が運び出された部屋。横浜市に住む男性は、故郷にあるこの家を売却する＝金沢市で。

人が22・9％で最も多く、「空き家にしておく」が21・5％で続いた。空き家にしておく理由は、「解体費用をかけたくない」との回答が39・9％に上った。

建物解体の相談に応じ、業者に取り次いでいる「グエル・パラッシオ」（東京）によると、延べ床面積三十〜四十坪の木造二階建て住宅の場合、解体費用は百万〜百五十万円ほど。道幅が狭く重機が使えない立地では人力解体が必要になり、費用が増すこともあるという。

土地の売却額よりも解体費用の方が高くつく「マイナスの遺産」になるケースもある。相続を知った日から原則三カ月以内ならば「相続放棄」も可能だが、時間は限られており、NPO法人「空家・空地管理センター」（埼玉県所沢市）の上田真一代表理事（33）は「親は自分の死後に家をどう扱ってほしいのか、生前に家族で話し合っておくことが大切だ」と話している。

---

column 「遺留金」に自治体苦慮

身寄りの無い人たちが残した現金の取り扱いに、自治体が苦慮している。多死社会の到来や家族関係の希薄化で「遺留金」は今後も増えると予想されるが、法的な根拠がないまま自治体が預かる状況が続いている。

引き取り手のいない遺留金は本来、民法の規定に基づいて、自治体が家庭裁判所に相続財産管理人の選任を申し立て、管理人が清算した後に経費を除いた残額を国庫に入れる。ただ、申し立てには数十万円程度の経費がかかり、遺留金が少額の場合、自治体は差額を負担しなければならない。

このため、各自治体は少額の遺留金について、そのまま保管していることが少なくない。本紙の取材によると、名古屋市は累計で二千三百三十万円、川崎市は四千百万円、千葉市は二千三百七十万円を保管していた。

一七年七月には名古屋市や千葉市など全国二十の政令指定都市でつくる指定都市市長会が、遺留金の扱いに関する根拠法の整備や、自治体が収納できるようにするための見直しを国に要請した。しかし、法務省や総務省、厚生労働省など関係省庁が複数にまたがる中、法改正に向けた具体的な道筋は見えていない。

こうした事態を打開しようと、自治体が独自に条例を設ける動きが出てきた。神戸市は一八年二月議会に遺留金の処理指針を示した条例案を提出し、可決された。遺留金を予算外の「歳入歳出外現金（預かり金）」として保管することを明記し、相続人を探す費用に遺留金を充てることができる。

同市保護課の担当者は「大都市部を中心に、財産があっても身寄りのない人はこれからさらに増えます。神戸に限った話ではなく、条例には『法改正を求める』といったメッセージも込めました」と話した。

column デジタル遺品、どうする？

遺品は家財などの目に見えるものばかりではない。インターネットやスマートフォンの急速な普及とともに、電子機器の中に残されたデータ、いわゆる「デジタル遺品」の処理が将来的な課題になりそうだ。預貯金など個人の資産データは相続に直結するが、親族でも存在を知らないケースが多いという。

「夫のパソコンを調べてほしい」と言って、二〇一七年の春、愛知県に住む女性が「相続手続支援センター」（東京）の名古屋支部を訪れた。職員が電子メールなどを調べたところ、遺族が知らない二つのネット証券とネット銀行の口座から計約三千万円の資産が見つかった。

多くの金融機関がオンライン通帳などペーパーレス化を進めており、紙の通帳の有料化を検討しているメガバンクもある。銀行や証券会社から定期的に届く通知も電子メールへの移行が進み、従来のように通帳や郵便物を手掛かりに故人の総資産を調べることが難しくなってきた。

死後、時間がたってからオンライン資産が見つかって親族間の相続紛争になった事例もある。同センターの半田貢代表（68）は「独り暮らしの高齢者が増えた今、遺族はオンライン資産を調べるために、多くの時間とお金を費やさなければならなくなっている」と指摘する。

総務省が一六年に実施した年齢別の調査によると、八十代のインターネット利用率は23％だったが、七十代は53％、六十代は75％の高さだった。ITトラブルに対応している「日本PCサービス」（大阪府吹田市）が一七年に扱ったデジタル遺品は約百四十件で、前年の約六十件の二倍を超えた。家喜信行社長（43）は「パソコンの中にデータを残す人は確実に増えており、さらに需要は高まる」と話す。

多死社会の進行とともに増えていくデータの遺品にどう対応するべきか。十年前からデジタル遺品問題を研究しているフリー記者の古田雄介さん（40）は生前の準備として、オンライン資産の所在やパスワードを書き込める「デジタル資産メモ」をホームページ（http://www.ysk-furuta.com/）で無償提供している。プリントアウトして保管しておけば、自分が亡くなっても遺族が見つけ、パスワードなどを知ることができる。

古田さんは「処理の導線を書面で明確化しておくことで、家族に見られたくないデータを守りながら必要な遺産だけに触れてもらえる」と話している。

4　自分を遺す

自分の死後のあり方を生前に決める人が増えている。遺志はどう示され、どう継がれるのかを取材した。

遺贈寄付――最後に「誰かのため」という思い

二〇一二年二月。横浜市の弁護士熊沢美香さん（40）は、生前整理の相談を受けていた石川好枝さん＝当時（76）＝から思いもよらぬ電話を受けた。大動脈瘤《りゅう》で入院し、手術を控えていた石川さんは「遺言を残したい」と静かな声で告げた。

熊沢さんが病院に到着すると石川さんは集中治療室（ICU）のベッドで体を起こし、ボールペンを執って便箋に向かった。身の回りの世話をしてくれたヘルパーの女性（66）に遺産の扱いを委ねる遺言だったが、その日の夜、日記をつけていた大学ノートを一枚破り、委ねる遺産の使い道を一人で書き足した。

石川さんは三重県にある看護学校を卒業後、神奈川県内の病院に六十歳まで勤めた。脳性まひの小児病棟で働いたことがあり、退職後は難病の子どもと家族をケアする「子どもホスピス」に関心を持っていた。関係する新聞記事を切り抜き、熱心に読んでいた姿を熊沢さんは覚えている。

大学ノートを破った遺言には、遺産の使い道の一つに「子ども医療センターの親子のための施設」と書いてある。「書き加えたけれど、無効にならないかしら」。石川さんは熊沢さんにもう一度電話をして伝えた。それが最後になった。

翌日の手術後、石川さんの意識は戻らず、六日後に息を引き取った。

生前の財産を遺言などにより親族以外に贈ることを「遺贈寄付」と呼ぶ。独り身の高齢者や子どもがいない夫婦の増加とともに増え、寄付の窓口を設けている日本財団には一五年度、三年前の三倍に上る百五十件の相談が寄せられた。財団のアンケートでは、六十代以上の五人に一人が遺言での寄付について「したい」「関心がある」と答えている。

国境なき医師団への一七年の遺贈は、一四年の六十九件から九十七件に増えた。やはり単身者の増加などが背景にある様子だが、担当する荻野一信さん（46）は「海外の紛争ニュースに自身の戦争体験を重ねて、死後の寄付を決めた人もいる」と話す。日本盲導犬協会の吉川明理事（66）は「高齢でボランティアに行けない方が、何かしたいと考えた結果ではないか」と推測し、東日本大震災が増加のきっかけになったと感じている。

石川さんは生涯独身で、子どもはいなかった。ぜいたくを好まず、洗濯機は「すすいだ後の水を残しておけば、もう一度洗える」と、昔ながらの二槽式を使っていた。外出にはつえが欠かせなかったが、もったいないと言ってタクシーには乗らなかった。「そうやってためたお金でした」。ヘルパーの女性は振り返る。

熊沢さんとヘルパーは石川さんが亡くなって一年余りが過ぎた一三年三月、遺産の二千五百万円を横浜市南区の「リラのいえ」に贈った。神奈川県立こども医療センターで闘病する子どもを見舞う家族が宿泊するための施設だ。事務局長の田川尚登《ひさと》さん（60）は寄付を元手に、子どもホスピス建設への募金活動を始めた。自身は若いころ、六歳だった娘を病気で亡くしている。

「日記も写真も、私が死んだら全部処分してほしい」。熊沢さんは生前の石川さんの言葉通りに遺品を片付けたが、亡くなる一年八カ月前にもらった手紙は今も持っている。小児病棟で働いていた日々を振り返り、「子どもたちへ至らなかった分、いま出来ることがあればと思うのです」とつづってある。

その思いを知る熊沢さんは、ホスピス建設プロジェクトの理事に就いた。石川さんが遺した願いは、早ければ二年後に実現する。

column 宙に浮く遺産増加

財産の相続人などを遺言に書き残す人が増えている一方で、未婚率の増加や家族関係の希薄化などで宙に浮く遺産が目立ち始めた。受取人がいない遺産は国が「相続」する形で国庫に入るが、二〇一六年度はその額が四百三十九億四千七百五十六万円に上り、最高裁に記録が残る一二年以降で最多だった。

相続人不存在が増えている理由の一つに、独居高齢者の増加がある。昨年十二月、東京都内の住宅街に立つアパート兼住宅で、大家の男性（70）が亡くなっているのが見つかった。郵便受けに新聞がたまっていたのを配達員が不審に思い、通報したのがきっかけだった。

このアパートを管理する不動産会社によると、男性は独身で子どもがおらず、両親と兄弟は既に亡くなっていた。保有する不動産や預金など計二億円を超えるとみられる財産があるが、相続人はおらず、遺産の行き先は定まっていない。

配偶者や子どもなどの相続人がいなかったり、相続が放棄されたりした場合、家庭裁判所は債権者らの申し立てに基づき、弁護士などを「相続財産管理人」として選任する。相続財産管理人は故人の債務を支払い、身の回りの世話をしていたなど特別な事情が認められた縁故者に財産を分配した上で、残った遺産を国庫に納める。

最高裁によると、国庫に納付された遺産は一二年度で三百七十四億七千二百九十三万円。

以降、増加傾向にあり、一四年度に四百億円を突破した。相続財産管理人の選任数も増えており、司法統計によると、一六年は一万九千八百十一人。〇六年の一万一千六百八十九人に対し、十年間で一・七倍になった。

生前に築いた財産を確実に誰かに引き継いでもらうには、どうすればいいか。本書八十六ページで紹介した石川好枝さんのように「遺贈寄付」するのが確実だ。単身高齢者の増加に伴い、親族以外に財産を贈る遺贈寄付は今後も増えるとみられている。

相続に関する著書が多い相続コーディネート実務士の曽根恵子さんは「身寄りのない人でも、遺言などで第三者に財産を残すことは可能。家督相続制度がなくなり、家族のありようが多様化した今、自分の意思を残すことがますます重要になっている」と指摘する。

新規登録が相次ぐ献体——医療の世話になったから

もう何度目になるだろうか。パジャマの下には手術の痕がいくつも残っている。二〇一八年四月十一日、滋賀県竜王町の辻剛宏《よしひろ》さん（76）はがんの放射線治療を受けるため、大津市にある滋賀医科大付属病院に再び入院した。

辻さんは自分が死んだ後、病院に隣接する大学に自分の体を提供することを決めている。医学生の解剖教育などのため、無報酬で体をささげる「献体」だ。学生は遺体を解剖し、医学に必要な知識を身に付ける。滋賀医科大には現在、ホルマリンで処理した四十人の遺体が保管されている。

辻さんは五十八歳のときに腎臓がんが分かり、最初の手術を受けた。その十年後に股関節と右足の薬指にもがんが見つかり、リンパ節などを切除した。医師に「五年後の生存率は20％」と告げられたときは、ショックで気を失った。

術後も苦しんだ。傷口のガーゼを替えるときはあまりの痛さに大声で叫んだが、病棟の看護師がどうしたら和らぐのか相談し、胃カメラなどで使うスプレー式の麻酔を用意してくれた。一人で用を足せなくても嫌な顔はしなかった。「こんなにしてくれるんか」と感謝の気持ちが湧いてきた。お礼を考えたときに思い出したのが、以前に聞いたことがある献体だった。

年平均、約六千九百人。全国の医大や専門団体には、献体の新規登録が相次いでいる。解剖後の火葬代を大学が負担することから、経済的な理由が背景にあるといわれることもあるが、登録者と面談している順天堂大医学部の坂井建雄《たつお》教授（64）は「そういう人はいません」と言った。ほぼ全員が辻さんと同じように「医療のお世話になったから」と話すという。

昭和の中ごろまで、医学生による解剖は身寄りのない人の遺体がほとんどだった。一九八六年度にこれらの遺体を献体が上回り、二〇一六年度は99・4％に達した。篤志解剖全国連合会（東京）の前会長で、杏林大医学部の松村譲児教授（65）は「『遺体を切り刻むのは残酷だ』という過去のイメージが変わり、献体希望者が家族の同意を得やすくなった」と話す。

一方で、遺体の保管場所が限られることから、新規登録を制限する大学が目立っている。名古屋大など愛知県内の五大学に遺体を提供している献体団体・不老会（名古屋市）は、本年度から年間の登録者を三百人に制限した。浜松医科大は八年前に募集を中止したが、問い合わせは毎日のようにあるという。

辻さんは最初、保険証の裏にある臓器提供の意思表示欄に「全部つこうてくれ」と書こうとした。ただ、それならば体を丸ごと提供した方が役に立つのではないかと考えた。担当医に伝えると「ありがたい」と言ってくれたが、やはり希望者が多く、登録まで一年以上待った。

七十六年の人生で妻（73）と二人の息子夫婦のほか、六人の孫にも恵まれた。自動車のエンジンメーカーなどに六十四歳まで勤め、休日出勤もいとわなかった。妻に「お父さん、会社と結婚したんやろ」と言われたことがあるが、献体をしたいと打ち明けると「思う通りにしたらええ」。それだけ言い、妻は同意書にサインをしてくれた。

あれから八年。がんは右脚の大腿部《だいたいぶ》に転移している。死ぬのは怖いし、孫の将来も見たい。「でも、この体を役立ててくれれば、僕はそれでいい。『ありがとう』とだけ言って死ぬわけにいかへんやん」

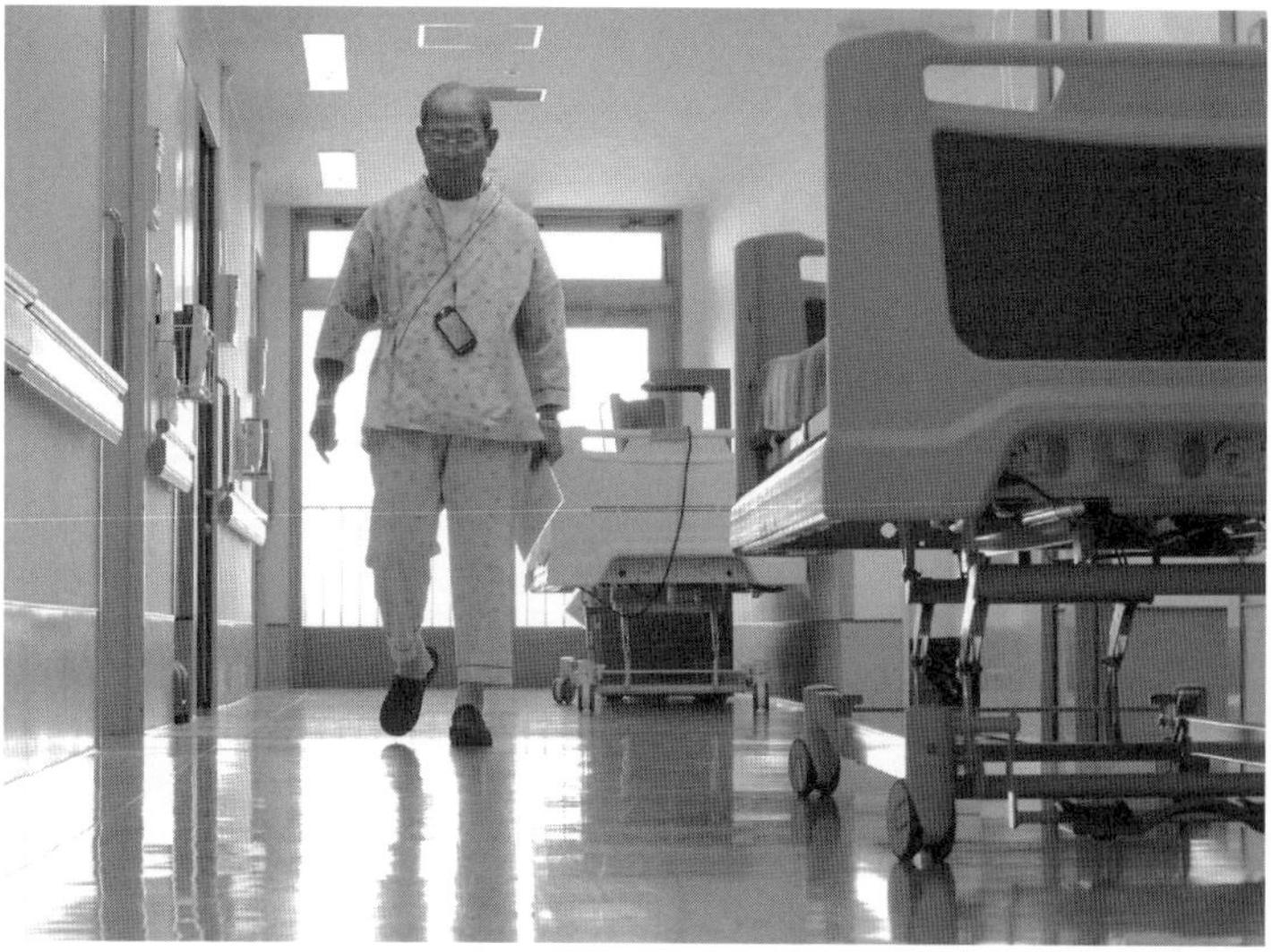

医師や看護師への感謝で献体を決めた辻剛宏さん＝大津市の滋賀医科大付属病院で。

column 恩返しの献体、東日本大震災の年が最多

意思を残す方法の一つとして、死後に自分の体を医学生の解剖実習に提供する「献体」がある。本書九十ページでは、治療への感謝から大学病院への献体を決めているがん患者の辻剛宏さん（76）を紹介した。全国の医大や専門団体には年平均で約六千九百人の新規登録があるが、東日本大震災の発生後の二〇一一年度は登録者が突出し、過去最多になった。

篤志解剖全国連合会（東京）によると、一一年度の登録者は平均の倍近い一万二千四百八十四人。同会の前会長で、杏林大医学部の松村譲児教授（65）は「災害で死に直面した人たちが、誰かの役に立ちたいと考えたのでは」と推測する。順天堂大医学部の坂井建雄《たつお》教授（64）＝解剖学＝も「『社会に役立ちたい』と考えていた人の心に、震災が拍車をかけた」とみている。

内閣府が一二年に実施した社会意識に関する世論調査では、「震災前より、社会の結び付きが大切だと思うようになった」と答えた人が八割に上った。

千葉大の献体団体・千葉白菊会の会長で、自身も十二年ほど前に登録した大沢国昭さん（80）＝千葉県習志野市＝は「震災で、自分は世の中に何を残せるのか考えた人は多い」と話す。登録者同士で話をしていると、震災をきっかけに献体を考えたという声を数多く聞くという。

千葉白菊会への登録は動機書のほか、配偶者と子ども、きょうだい全員の同意を必要とするなど、条件は厳しい。無条件・無報酬の基本理念を理解した人に限定。それでも希望者が多く、数年に一回は募集を停止している。大沢さんは「献体は医学のために体を残す。だから希望を持って死ねる。日本にもボランティア精神が広まってきたということだ」と述べた。

無効となった自筆遺言――思わぬ壁に

「この署名は誰が書きましたか」。裁判官に質問され、浜松市南区の女性（68）は答えた。「主人です」。署名した場所は「病室で」と説明したが、立ち会った弁護士の大石康智さん（61）は「これはまずい」と感じていた。

二〇一六年一月二十九日、女性は静岡家裁浜松支部で夫の遺言の検認を受けた。裁判官が開けた封筒の中には白い紙が一枚入っていた。パソコンで「全ての財産を妻に相続させます」と印字され、夫の自筆の署名があった。

がんを患っていた夫は一五年六月、六十七歳で亡くなった。遺言を書いたのは、息を引き取る七カ月前。がんは脊髄に転移して立つこともままならず、夫の代わりに親族が書いた。体が弱り、文字を書くことさえつらそうだった夫は「ここに名前を書けばいいんか」と言い、震える右手で署名した。

その遺言を裁判官が開封したとき、大石さんは「無効だ」と気が付いた。ただ、女性がショックで倒れてしまうのではないかと思うとその場では言い出せず、数日後、浜松市内の事務所で「この遺言は、法的効力に問題があります」と伝えた。

遺志を書き残す「自筆証書遺言」。民法は全文と日付、氏名のすべてを本人が手書きし、押印しなければならないと定めている。政府は一八年三月、財産目録のパソコンでの印字を認める改正法案を国会に提出したが、遺言そのものは自筆でなければならず、要件を一つでも欠けば無効になるのは現行法と変わらない。

公正証書を含めた遺言全体の増加に伴い、本人の意思能力が問われるケースも増えた。認知症だった父親の遺言を巡って係争中の東京都内の女性（34）は「症状が現れる前に書いてもらっていれば、争いになることはなかった」と話す。遺産の分割に関する全国の調停件数は、一七年の速報値で一万四千四十四件。十年前の一万三百十七件から四割近く増えている。

大石さんが検証に立ち会った女性の夫は、十人きょうだいの三男だった。子どもはなく、夫婦のどちらかが先に死んだら、財産は遺された側のものにすると決めていた。遺言の作成を公証人に頼もうとしたこともある。ただ、二人で十万円ほどかかると聞かされて、やめた。

大工として稼いだ預貯金と先祖からの土地、そして闘病中に建て替えた自宅。その全てを妻に遺そうとした夫の生前の思いは自筆遺言の無効で宙に浮き、女性は相続権がある親類十二人に、自分への相続を認めてもらう手続きを迫られた。めいは米国にいた。疎遠になっているきょうだいもいた。弁護士の力を借りて全員が同意してくれたが、手続きが終わったのは夫が亡くなってから一年半が過ぎた一七年一月だった。

女性は今、夫が遺した家に一人で暮らしている。がんが分かった後に建て替えを決め、夫の最後の生きがいだった家だ。日当たりの良さにこだわった和室で、夫は女性に看取られた。

夫婦の相続を夫と話し始めたのは五十歳を過ぎたころ。今、女性は夫が亡くなった年齢を上回っている。終活を意識する年になったが、遺言の無効で経験した苦労を他の人にはさせたくない。誰に何をどう受け継いでもらうのか。女性は、自分の意思をはっきり遺す手段を考え始めている。

column 遺言の知られざるハードル

自分の死後を見据え、財産の分け方などを書き残す遺言。「終活」への関心の高まりなどで作成する人が増えているが、日本公証人連合会の大野重国理事長（65）は「超高齢社

一般的な遺言の種類と特徴

	自筆証書遺言	公正証書遺言	秘密証書遺言
	遺言者が遺言全文、日付、氏名を自筆し、押印する。財産目録のみパソコンなどでの作成が可能	公証人が遺言者から遺言内容を聞き取り作成する。証人2人以上が立ち会う	封をした遺言を公証人1人と証人2人以上に見せ、公証人に遺言の存在証明だけを依頼する
長所	●紙とペン、朱肉さえあればいつでも作成できる ●費用がかからない ●自分だけで作れるので、隠しておけば秘密を守れる ●2020年7月から法務局での保管が可能に	●形式面のミスで無効にならない ●公証役場が原本を保管するため紛失や改ざんの恐れがない ●遺言内容を公証人に伝えられれば字が書けなくても作成できる ●検認手続きは不要	●署名と押印だけ遺言者が行えば、パソコンでの作成や代筆も有効 ●公証人と証人に内容を公開する必要はない
短所	▲不備があった場合、無効になる可能性がある (無効の例:全文をパソコンで書く、日付が「5月吉日」など)	▲公証人手数料がかかる ▲立ち会いの公証人と証人には遺言内容を秘密にできない ▲公証人らの立ち会いが必要なため、作成に時間がかかる	▲手数料がかかる ▲不備があった場合、無効になる可能性がある ▲自分で保管するため、盗難・紛失などの恐れがある ▲家庭裁判所での検認手続きが必要

会になり、高齢者が持つ財産をスムーズに次世代に引き継ぐ制度が、ますます必要になっている」と指摘する。

「司法統計によると、二〇一六年に裁判所が遺産分割の申し立てを認めた「認容」や「調停成立」になった事案のうち、遺産額が一億円を超えた割合は一割以下だった。遺産争いが、一部の富裕層だけの問題ではないことが分かる。

一般的な遺言には「公正証書遺言」「自筆証書遺言」「秘密証書遺言」の三種類がある。大野理事長は「一千万円を超える財産があるなら、数万円の手数料を考えても公正証書遺言が安心だ」と勧める。三種類の中で唯一、法律の専門家である公証人が遺言の作成と保管を請け負うためだ。形式違反で無効になることはほとんどなく、不動産の名義変更などの相続手続きが円滑に進む利点もある。

本人が手書きする自筆証書遺言は費用がかからないが、パソコンの使用や代筆は無効になる。このため、死後に有効性を巡って争いが起きたり、紛失や破棄されたりする恐れもある。政府は、財産目録のパソコン等での作成を認める改正法を二〇一九年一月に施行。さらに法務局が保管する遺言書保管法を二〇年七月に施行するが、形式の不備などで無効になる不安は残る。

秘密証書遺言は、封をした遺言を公証役場に持ち込み、遺言の存在だけを公証人に保証してもらう形式だ。署名と押印を自分で行えばパソコン等で作れるが、遺言は自己保管で手数料もかかるため、利用している人は少ない。

同連合会によると、一七年に作成された公正証書遺言は十一万百九十一件で、〇七年の一・五倍。また、家庭裁判所が記載内容を確認した同年の自筆証書遺言などの検認件数は一万七千三百九十四件（最高裁の速報値）で、十年前の一・三倍に増加した。

遺言だけでなく、離婚や子どもがいない夫婦など家族の多様化に伴い、「家族信託」も注目を集め始めている。通常の遺言では、例えば「代々の土地を妻に、妻の死後は先妻との子に引き継がせる」など、二代先の相続人を指定することはできない。信託契約では、土地の「受託者」を先妻との子に、土地の賃料を得る「受益者」を現在の妻にしておけば、本人の死後は妻に賃料が入り、妻の死後は先妻との子に土地が引き継がれる。

ただ、遺言も家族信託も、認知症などによる判断能力の低下が障害になることもある。家族信託は契約が困難になり、公正証書遺言を残した場合も裁判で「遺言作成に必要な意思能力がなかった」と判断されて、無効になる恐れはある。

担当した公正証書遺言が無効になった経験がある元公証人の男性（70）は「遺言能力を判断する統一ルールはない。イエス、ノーで聞き取るのではなく、遺言内容を自ら説明してもらうなど、公証人もより慎重に判断する必要がある」と話した。

変わらぬ姿でお別れ

りんとして、さわやかな表情。肌にはみずみずしさがあり、ほおずりすることもできる。そんな夫が横たわるベッドの隣に布団を敷き、夜は明かりを落として「もう寝るね」、朝が来れば「おはよう」と声をかけた。

埼玉県所沢市の大平愛子さん（88）は二〇一八年三月四日まで、夫の馨さんとそうやって過ごしていた。次々に自宅を訪ねてくる夫婦の友人たちは口をそろえた。「まるで、生きているみたいだね」。肺炎だった馨さんは一週間前の二月二十五日、九十二歳で既に亡くなっていた。

亡骸を殺菌して傷みの進行を抑えたのは、死の直後、馨さんに施された「エンバーミング」と呼ばれる技術だ。愛子さんは以前、がんの闘病後に亡くなった知人の葬儀で、生前を思わせる穏やかな顔を見た。馨さんへの施術は、その表情を覚えていた愛子さんが依頼した。

エンバーミングは欧米で広がり、国内では一九八〇年代に広がり始めた。日本遺体衛生保全協会（事務局・神奈川県平塚市）の資格認定者らが、専用の施設で遺体の血管にホルマリン系の防腐剤を送り込み、数日から数十日の保存に耐えられるようにする。

費用は十五万円前後で、業者は遺族の同意を得て処置している。闘病による顔のやつれや事故での欠損にも、特殊なシリコンを注入して対応する。協会によると、全国の処置件数は二〇〇〇年の一万百八十七件が、二〇一七年は四倍を超える四万二千七百六十件に増加した。

葬祭業「のいり」は愛知県一宮市にエンバーミングの施設を持ち、年間約六百件の処置をしている。野杁晃充《てるみつ》社長（41）は「医療の発達で闘病期間が長くなり、元気だったころとかけ離れた姿で亡くなる人も目立ちます」と話す。生前の希望者数は男女ともほぼ変わらない。最近では、がんの放射線治療で顔が赤くただれ、「死後の別れのために、何とかきれいにしてほしい」と訴えた高齢の男性がいた。

六十年連れ添った夫の馨さんを見送った愛子さんも、「死んだ後は自分にもエンバーミングをしてほしい」と思っている。「別れの場は死者の晴れ舞台」と感じる光景を、馨さんが亡くなったときに目の当たりにしたからだ。

医師だった馨さんは「苦しんでいる人の力になりたい」と、各地のハンセン病療養所で患者に向き合い続けた。葬儀前日の三月三日、馨さんの遺体を乗せた車が勤務先だった療養所に立ち寄ると、生前を知る元患者たちが外に出て「お世話になりました」と手を合わせてくれた。

愛子さん自身は十五歳で終戦を迎え、看護師になって九州から上京した。その後は保健師、助産師となり、今も現役として若い母親たちに授乳法を教えている。夫との間に子どもはなかったが、仕事を通じて多くの生と死を見つめてきた。「私がへその緒を切った赤ちゃんは二百人、知り合ったお母さんは二万人以上いるんです」と愛子さんは笑顔で話す。

最愛の夫を亡くした自分がこの先、どんな最期を迎えるのかは分からない。葬儀は立派でなくていい。「ただ、最後に会いに来てくれるみんなが笑って私をなでてくれるような、そんな顔で旅立ちたいと思います」

自宅には、公証役場で以前作成し、自身の葬儀の仕方などを定めた証書がある。愛子さんは近く、そこに「エンバーミング」と書き加えようと思っている。

夫とは別の墓に入りたい――やっと自由になれる

佐賀市の住宅地にある古刹《こさつ》・大興寺。三百年の歴史を持つこの寺に、女性だけが眠る墓がある。佐賀県内に住む自営業の女性（43）はバラやマリーゴールドが咲く墓苑の一角を買い、「樂《らく》」という文字を刻んだ墓に間もなく母親の遺骨を納める。がんを患い、二〇一八年三月に六十六歳で亡くなった。

母親は長い間、女性の父親からの暴力に耐えていた。体にいくつもあざを作り、額から血を流すこともあった。父親は酒に酔うと包丁を持ち出した。母親はそのたびに二人の娘を逃がし、自分だけが殴られた。

がんが見つかったのは一六年の秋。手術前に女性が受け取った手紙には「もしもの時、家には行かず斎場に連れて行って。納骨も家のお墓は嫌です」と書かれていた。母親は離婚したくても夫が怖くて言い出せず、せめて死後は別の墓に入れてほしいと願っていた。女性は姉（45）と相談して大興寺を訪れ、「お母さん、やっと自由になれる」と購入を決めた。

大興寺には家族墓などのほか、女性のための集合墓や一～二人で入る個別墓がある。生涯を未婚で過ごす人や離婚した人の利用を見込み、一四年七月に開設した。女性だけで埋葬されているのは二十八人。生前契約は現在、八十一人。「夫や義母と同じ墓は嫌」という理由で申し込んだ人は、これまでに十人いた。田中浩樹《こうじゅ》住職（53）は「『離婚はしなくても墓は別に』という需要は、想像していなかった」と驚いている。

相談窓口「保険クリニック」を運営するアイリックコーポレーション（東京）が一七年、男女各三百人に行ったインターネット調査では、「配偶者と同じお墓に入りたいか」との質問に女性の32・7%が「入りたくない」と答え、14・7%だった男性を大きく上回った。第一生命経済研究所の〇九年の調査でも、「誰と一緒のお墓に入りたいか」という質問に男性の48・6%が「先祖代々のお墓」と回答したのに対し、女性は29・9%にとどまった。

大興寺の個別墓を生前予約した佐賀市の無職の女性（55）は「嫁ぎ先の墓には入りたくない」と言い切った。不仲だった義母は六年前に亡くなり、「一緒のお墓に入ったら死んだ後もいじめられる。安心して眠りたい」と考えたという。

暴力や夫の家族との関係だけでなく、自分の家族のために別々の墓を考えている女性もいる。「夫婦仲は良い。でも、夫の実家のお墓には入らないかもしれない」。東京都内に住む女性（58）は、そう話す。

女性は一人っ子で、雑貨店を切り盛りしていた両親に大切に育てられた。買い物で町を一緒に歩く時、母親は笑顔で腕を組んでくれた。年ごろになった自分に男性から電話があるたびに、父親はへそを曲げた。二人ともいつも優しかったが、父親は九年前、母親は五年前に亡くなった。

夫の実家との関係は悪くない。この先も一緒に生きていく夫と同じ墓に入りたい気持ちもある。ただ、自分がたった一人の子どもだったことを考えると、両親を「放っておけない」とも感じる。

両親は樹木葬の墓で眠っている。女性はそのすぐ隣の区画を自分の墓として生前購入した。死の直前、母親は「あなたは、どこのお墓に入ってもいいのよ」と言ってくれたが、親子三人で過ごす時間を死後に遺したいと思っている。

●取材の周辺●——土門哲雄

終活カフェで死を思う

東京スカイツリーが見える商店街の一角にある「ブルーオーシャンカフェ」（東京都江東区住吉二）。空や海をイメージさせる水色を基調にした爽やかな外観だが、ちょっと変わったコンセプトを掲げている。「終活コミュニティカフェ」。二〇一九年七月の昼下がり、本書のもとになった連載「メメント・モリ」の取材から一年半ぶりに店を訪ねた。

運営しているのは、海洋散骨事業などを手掛ける「ハウスボートクラブ」。店内には散骨のパンフレットや、遺骨を粉にして手元で供養したいという人向けのおしゃれなガラスの骨つぼなどが並ぶ。

誰にでも訪れる人生の最期について、コーヒーを飲みながら気軽に考え、語り合ってもらおうと、二〇一五年二月にオープンした。終活や医療介護に関するセミナー、遺族が悲しみを語り合う「わかちあいの会」などを開催。棺おけに入ってみることで生死について考える入棺体験、僧侶と交流する「坊主バー」などのイベントもある。

連載の取材でカフェを訪れたのは一七年十二月〜一八年一月。その後も、海洋散骨に関する相談は増え続けており、ハウスボートクラブが一八年に実施した海洋散骨は五百件を上回ったという。

村田ますみ社長は「どうやって死を迎えるかは、どう生きていくかと同じくらい大事なこと。死を考えることは、死ぬまでの生き方を考えること」と話す。

普段、死について考えることはほとんどない。だが、人はいつ死を迎えてもおかしくない。今朝は元気だった自分や家族、友人が今晩、突然命を絶たれているかもしれない。誰もが、そんな不安定な毎日を過ごしている。生と死は別々のものではなく、つながっている。そんなことを考えさせられた。

連載では、少子高齢化や多死社会を背景に、広がる散骨の現状や問題点などについて取材した。「粉骨一万二千円」「粉骨＋散骨代行で二万五千円」。インターネット上には、さまざまな宣伝文句が並んでいる。そんな業者の数々を実際に訪ねて回った。取材を始めるまでは、「故人が生前、海洋散骨を希望していたから」というケースをイメージしていた。しかし、依頼者側の事情はさまざまだと知った。

取材に協力してくれた高齢夫婦は、体力の衰えとともに、遠方にある寺まで墓参りに行けなくなっていた。「息子達に負担を掛けたくない」と考え、墓をしまい、散骨する選択をした。墓じまいには葛藤もあったというが、「形が大事なのではなく、心がつながっていることが大事。海でみんなで一緒になれる」ときっぱりと話した。その柔らかな表情が印象的だった。

今回取材で訪ねた散骨業者は、こう口をそろえた。「相談に来る方々の大半は、お墓の問題を抱えている」。継承者がいない、もしくは将来的にいなくなる、など。お墓や供養のあり方についても考えさせられた。

散骨では、依頼者が業者と顔を合わせないケースも多いと知った。故人の「祭祀承継者」がインターネットで申し込み、ゆうパックで遺骨を郵送。希望の海域で散骨を代行してもらう。故人に身寄りがなかったり、近い親族がいなかったりした場合、業者が遺骨を火葬場から直接引き取るケースもあるという。

多死社会を迎え、散骨事業に参入する業者が後を絶たない。だが、課題は多い。業者間では「船の燃料代を抑えるため、こっそりと近海で散骨している業者もあるのではないか」「廃棄物を処理するかのようにならないか」などと懸念する声が聞かれた。

大手企業の「エンディング」事業で散骨の下請けの依頼を受けたというある業者は、「遺族と顔の見えない関係になってしまうのは良くない。コストカットのしわ寄せは現場に来る」と問題視する。供養の気持ちと人の尊厳を大切にする社会でありたいと願う。

連載の取材班を離れた一八年三月以降は、警視庁担当記者として事件事故の取材に関わった。そこで直面したのも、やはり高齢社会、多死社会の姿だった。

高齢者の資産を狙うニセ電話詐欺はますます巧妙化し、全国の被害は一日約一億円に上る。高齢の地主に成り済まし、土地を勝手に売り払う「地面師」事件も印象深い。

東京・五反田の旅館跡地を巡り、「地面師」グループが大手住宅メーカー積水ハウスから購入代金六十三億円をだまし取った事件。高齢の地主は売買交渉当時入院中で、その後、亡くなっていた。詐欺グループは、こうした情報を事前に入手し、綿密に役割分担。地主名義の偽造パスポートなどで地主に成り済まし、土地を売却していた。

長年社会を支えてきた「団塊世代」は七十代を迎えた。記者の親も、この世代だ。「人生一〇〇年時代」と言われるが、人はやがて必ず死を迎える。それぞれの人生への敬意を忘れず、心を込めて送り出すことができるか。現役世代が問われていると感じる。

第2部
旅立ちのとき

5　最期を決める——延命治療をめぐって

いつ、どこで、どのように人生の幕を下ろすのか。それを決めるのは誰か。医療の発達や価値観の多様化によって、一人一人にそんな問いが突きつけられる時代になった。最期の選択に悩み、揺れる現場を追う。

延命治療、どうしますか——母の呼吸器を外した姉妹の決断

その瞬間、ずっと閉じたままだった母の右目が、ほんの数秒だけ開いた。意識はなく、自分たちの姿が見えたのかは分からない。

二〇一八年四月二十日午前十一時三十五分、済生会滋賀県病院（同県栗東市）の四階にある個室。四人の子どもが見守る中、ベッドに横たわる母の口から医師が人工呼吸器のチューブを引き

抜いた。先端部が透明な直径数ミリのチューブを口から気管まで二十センチほど挿入し、母の体に酸素を送り込んでいた。

「お母さん、楽になったね」。長女（76）は三人の妹とともにベッドへ寄り、素顔に戻った母の頬を両手で包んだ。妹たちは優しく足をさすった。右目が開いたのはそのときだったが、再び目を閉じた母は七日後、九十八歳で息を引き取った。

元気だった母が自宅で倒れて救急搬送されたのは、呼吸器を外す二日前、四月十八日の夜だった。救命救急センターの医師は付き添った長女に重い脳出血だと告げ、「厳しい言い方ですが、命は助かっても意識は戻らないと思います」。そして続けた。「機械につなげたりする延命治療、どうしますか」

不意に迫られた選択。万が一の際の医療処置について母と話したことはなく、長女は「私の判断だけでは……」と返すしかなかった。三人の妹のうち、二人は県外で暮らしている。全員が病院へ到着するまでの処置として、母に人工呼吸器が取り付けられた。

機械と体をチューブでつながれた母の姿を見て、長女は十五年前に別の病院に入院し、九十歳で亡くなった父を思い出した。

脳梗塞で倒れ、栄養を送る管を鼻から入れられて、最後の十カ月を過ごした。医師は延命の選択肢に気管切開を挙げたが、長女は断った。時には鼻から栄養剤がこぼれ出し、見ていられないこともあった父を、これ以上苦しめたくないと思ったからだ。

父の気管切開を拒んだとき、母は何も言わなかった。「だから自分自身の時も、そこまでの延命はきっと求めない」。そう考えた長女は病院に集まった三人の妹に、考え抜いた決断を明かした。「呼吸器、抜いてもらおう」。母が倒れた翌日、四月十九日のことだ。

「この前の里帰りを、お母さんとの最後の思い出にする」「呼吸器を外して、はい終わりというのは嫌だ」。妹たちはそれぞれの思いを口にしたが、医師が席を離れた後に一時間ほど話し合い、翌日に人工呼吸器を外すことで三人の意見はまとまった。

「簡単な決断ではありませんでした」と、長女は振り返る。倒れる一カ月前、母と家の近くを散歩した。空が晴れわたれば、飛行機雲を探すのが習慣だった。「あ、見つけた」と言って、二人で空に手を合わせ、百歳まで生きられるようにと願った。「延命中止は正しい判断だったと今でも思うけれど、ずっと生きてほしいという思いもありました」と長女は振り返る。

長女らの申し出で延命の中止処置をした滋賀県病院救命救急センター長の塩見直人医師（49）は「多くの家族は重い選択に迷いながら、大切な人にふさわしい最期を決めていきます」と話す。

呼吸器外しは二〇〇八年七月、富山県の射水市民病院で関与した医師二人が殺人容疑で書類送検（その後、不起訴）されるなど、医療現場で長年タブー視されてきた行為だ。今も刑事責任を恐れて判断を控える医師が多い。

だが、塩見医師は「ただ命を延ばすことだけが、患者の生を尊重するとは限らない」と感じている。センターでは家族らの同意を基に医師や看護師、ソーシャルワーカーら多くの職種が話し合った後に患者に取り付けた人工呼吸器を外すなど、複数の手続きを経て回復の見込みがない延命治療の中止を行っている。

意思の疎通がはかれなくなったら——あるALS患者の訴え

今はもう、笑うこともできない。全身の筋肉が徐々に動かなくなる難病を患う照川貞喜《さだよし》さん(77)は、千葉県勝浦市の自宅のベッドに人工呼吸器を着けて横たわる。「今、どう思ってるのかね。本当に聞いてみたい」。見開いたままの夫の目に目薬を差し、妻恵美子さん(75)がつぶやいた。

貞喜さんは一九八九年、四十九歳のときに筋萎縮性側索硬化症(ALS)を発症した。症状が進み、ほぼ寝たきりになった二〇〇七年十一月、周囲に自分の意思を伝えられなくなる将来を案じ、頰の動きで操作するパソコンを使ってA4用紙九枚の要望書を書いた。

「意思の疎通を図れなくなったら、私の希望通り苦しまないようにして呼吸器を外して死亡させて頂きたく、事前にお願い申し上げます」

恵美子さんと長男、長女、次男が署名した要望書に、貞喜さんは「関係者を刑事訴追しないでください」とも書いた。前の年、富山県の射水市民病院で医師が患者の人工呼吸器を外したことが明らかになり、県警が捜査を始めていた。

警察官だった貞喜さんは自分の意思を書き残すことで、医師が罪に問われることはないと考えた。当時の主治医、小野沢滋さん（54）は、「呼吸器を外す選択を社会に認めてほしい」という貞喜さんの思いを本人から聞いていた。ただ、病院の院長は「呼吸器を外せば、医者が逮捕される恐れがある」と難色を示し、記者会見して「社会的な議論が必要だ」と訴えた。

貞喜さんと同じように延命治療を拒否しながら、意思がかなわなかった患者は他にもいる。〇六年、意識不明で岐阜県立多治見病院（多治見市）に搬送された八十代の男性は延命を望まないと書き残していたが、「国の指針が明確ではなく、医師の責任を問われかねない」との当時の院長判断で呼吸器を外されなかった。

「これだけ患者が準備しても、思うように最期を迎えられないのか」。多治見病院の救命救急センター長だった間渕則文さん（59）は、患者が望む最期を迎える難しさに直面した。

厚生労働省は〇七年、本人の意思や医療チームでの話し合いを基に医療行為の中止などを「慎重に判断すべきである」とするガイドラインを公表した。さらに一八年三月に、本人との話し合いを繰り返し行うことなどを盛り込んだ改訂版をまとめている。

「呼吸器を外して……」という貞喜さんの思いを知る元主治医の小野沢さんは「今は手順を踏めば立件されることはないと思うが、リスクはあります」と話す。安楽死や延命中止を認める法律はオランダやカナダ、米ワシントン州などにあり、韓国でも今年施行された。日本には尊厳死の法制化を求める超党派の議連があるが、国会での具体的な議論には至っていない。

貞喜さんは発症から二十六年が過ぎた二〇一五年、パソコンを操作する最後の手段だった頬も動かせなくなった。周囲と意思疎通が図れなくなった今も、人工呼吸器で生きている。妻の恵美子さんは希望通りに外してあげたいとも思うが「主治医の先生に、もしものことがあったら……」と、立件への不安がつきまとう。

五十二年連れ添った夫。「いなくなったら、寂しい。でも、痛くても苦しくても、何も訴えることができないつらさを思うと、かわいそうでね」。四十分おきの目薬の時間を知らせるアラームが鳴り、ベッドへ向かった恵美子さんは、「私自身も揺れている」と話した。

column

海外で進む延命中止の法制化

厚生労働省は二〇〇七年、患者本人の意思や医療チームでの話し合いを基に、医療行為の中止などを「慎重に判断すべきである」とするガイドラインを公表した。一八年三月には、本人との話し合いを繰り返し行うことなどを盛り込んだ改訂版をまとめている。

自分の最期のあり方を自分で決める「尊厳死」を巡っては、法制化を求める超党派の議員連盟があるが、国会での具体的な議論には至っていない。その一方、海外では刑事事件や裁判をきっかけに、延命措置の中止や安楽死の法整備が進んだ例がある。

米国では一九七六年、東部ニュージャージー州最高裁が、医師の同意を条件に「患者の病状回復が不可能なら、後見人である父親は、生命を維持している人工呼吸器を外す決定ができる」とする判決を出した。これを機に米国内の各地で延命中止に関する法整備が加速した。

同年のカリフォルニア州を皮切りに、全五十州で事前指示書（リビングウィル）に基づく延命の差し控えや中止が法的に可能になり、医師が刑事訴追されることはなくなった。カリフォルニア州やオレゴン州などでは、安楽死を望む患者に医師が致死量の薬物を処方する自殺ほう助も認められている。

英国は九三年の貴族院（現在の最高裁）判決で、延命を続けることが患者にとって「最善の利益」にならない場合、措置を中止できるとする判断が示された。二〇〇五年には、判断能力がなくなった人の延命中止を代理決定できる法律が整備された。

また、オランダやベルギー、カナダなどは、延命中止にとどまらず、医師が自ら致死薬を投与する安楽死も合法化している。

アジアでは、台湾が二〇〇〇年、延命措置の差し控えを認める法律を制定。一九年には対象者を終末期以外の重度の認知症などに広げた新法が施行された。

日本と同様、一九九〇年代から二〇〇〇年代に呼吸器外しを巡る事件や裁判が相次いだ韓国は、延命中止を認める法律を二〇一八年二月に施行した。

身寄りのない高齢者の終末期——老いるニュータウンの現状

大阪で震度6弱の地震があった二〇一八年六月十八日、ソーシャルワーカーの岩間紀子さん（48）は勤務先の病院で負傷者の対応に追われていた。通常の外来患者は一階、地震の負傷者は地下に案内し、医師による手当ては夜まで続いた。

その四日前、岩間さんは同じ建物の地下から、身寄りのない高齢者の遺体を見送った。黒いスーツ姿の葬儀会社の男性は死亡診断書を受け取ると、慣れた手つきでストレッチャーを車に積み込んだ。八十九歳だった女性の遺体だった。車が発進すると、岩間さんは二度、深々と頭を下げた。

女性が住んでいたのは、日本初のニュータウンとして大阪府吹田市、豊中市の丘陵地に開発された「千里ニュータウン」だった。岩間さんが勤める大阪府済生会千里病院もそこにある。一九六二（昭和三十七）年のまちびらきから半世紀以上がたち、若者たちは街を離れて親世代の高齢化が進んだ。六十五歳以上の人口が30・1％を占めており、超高齢社会が到来する将来の日本の縮図のような街だ。

千里病院の救命救急センターに運び込まれる患者の中には、独居や身寄りのないお年寄りもいる。岩間さんが遺体を見送った女性は、自分で病院まで歩いてきて、「おなかが痛い」と言って院内で倒れた。最初は話ができたが、処置中に血圧が低下し始めた。手押し車から親族につながるものを探したが、手掛かりがないまま死亡した。

千里ニュータウンは六軒に一軒が高齢の単身世帯で、夫婦が二人とも認知症の世帯もある。病院の周りには、かつて「最先端」と言われた街とは異なる風景が広がっている。救命救急センターに運ばれて家族に連絡を取りたくても、子供たちは離れた街で暮らしている。

センターの伊藤裕介医師（39）はそんなニュータウンの現状を「死にたくても死ねない地域」と表現する。患者本人が終末期に何を望むのか、確認ができないまま治療を進める現状に危機感を抱いているからだ。延命を求めていないとしても、救命医は第一に命を救う責務を負う。上司の澤野宏隆医師（48）は「年齢が八十であろうと九十であろうと治療する」と話すが、意思確認の難しさは伊藤医師と同じように感じている。

千里病院には一七年の秋、八十五歳の独居の男性が低体温症で運び込まれた。命は取り留めたものの、認知症があり、本人の意思を聞くことが難しい。親族をたどったが、ほとんどが亡くなっており、ようやく連絡が取れた遠縁の親類は「そんな人は知りません」と答えたという。

ソーシャルワーカーの岩間さんは、男性の今後を決める院内の話し合いで「気管切開で痰《たん》を取りやすくすれば、長期で転院を受け入れてくれる病院がある」と提案した。だが、医師からは「本人の同意がないのに、声が出なくなる手術はできない」と断られた。

その岩間さんも、男性が何を望んでいるのか分からずにいる。「私は医師とは別の立場で『こうやったら長生きできる』と言える仕事に就いています。でも、それは人の命をむやみに永らえさせることになるのではないか。そう考えてしまうこともあります」

男性は鼻から胃に入れたチューブで栄養を取り、点滴をしながら千里病院に入院している。意識はあるが意思の疎通はできず、見舞客が来ない病室で生きている。

認知症のある人の意思は誰が確認するのか

「今朝のごはんは、お米とお吸い物と……。豆腐の何かだったたな」

二〇一八年五月下旬、北海道函館市にある高齢者グループホーム。十数人が入居するこのホームで六年前から暮らしている女性（80）は、中程度の認知症と診断されている。自分が生まれた場所や名前、昔の経験などは覚えているが、最近会った人や見聞きした出来事を思い出すのは難しい。

ホームでは個室で野球や相撲をテレビ観戦し、気が向くと絵を描いて過ごしている。壁には、鉛筆で描き上げた作品がところ狭しと張られている。

元気そうに見えるが、女性は胃がんの末期だ。一七年の秋ごろ、腹部の痛みを訴え、年が明けて腫瘍が見つかった。本人に病名は告げられていない。

「余命は一〜二カ月。残念ながら最期は近づいています」。月に二回ホームに通い、女性を診察する函館稜北病院の堀口信《まこと》医師（65）が明かした。「その時に向けてどんな医療を施すのか。延命治療はするのか。認知症の本人だけでは決められないのが現実です」

患者自身に十分な能力や意識がない場合の代理判断は、本来ならば配偶者や子どもといった家族が担う。しかし、堀口医師が本人やホームのスタッフに聞いていくと、女性にはその役割を果たす近親者がいないことが分かった。

個室の棚に、分厚いアルバムが置かれていた。手に取った女性は迷うことなく、あるページを開けた。「これ、娘の小さいころね」。セピア色の一枚には、小学校入学を待つのか、ランドセルを得意げに背負う少女が写っている。だが、女性は続けた。「今年の春、一周忌だった。おっぱいのがんだった」。生前はホームによく顔を出してくれていたという。

夫とは、かなり前に死別した。子どもは娘のほかに息子がいるが、絶縁状態だ。ホームによると、亡くなった娘の夫が女性の入居保証人になっているが、終末期については「自分には決められない」と代理判断を拒否している。

「最終的には、われわれ病院側が決めていくしかないでしょう」。堀口医師は、そう覚悟している。「でも、認知症だからといって、本人の人生や思いを切り捨てることはできません」

女性は決して裕福ではない農家に生まれた。幼いころは学校を休んで畑仕事を手伝い、夫を亡くした後は、細い体で工事現場に出て生計を立ててきたという。

末期がんを告知していないのは、女性が以前の診察で「詳しい病気が分かっても知りたくない」と言っていたからだ。「痛いの、苦しいのは嫌だ。病院は嫌だ」と繰り返す言葉からは、大きな手術や回復見込みのない延命は望まず、できるだけホームの自室で過ごしたいのだろうと推し量れる。

六月に入り、女性は胃がんが原因とみられる貧血で入退院を繰り返すようになった。堀口医師は言う。「本人が何を望むのか、最後まで丁寧なやりとりを続けなければなりません。今後、こういうケースは全国で爆発的に増えていくでしょう」

国の二〇一四年の調査では、一人暮らしの六十五歳以上の17・8％が、病気になった際に頼れる人を「いない」と回答した。一二年に高齢者の七人に一人、四百六十二万人だった認知症患者は、二五年に約七百万人に達し、五人に一人となるという。

column 認知症の人の意思決定支援ガイド

記憶や判断力が減退する認知症患者の治療方針は、誰がどう決めるのか。認知症の専門医で京都府立医科大の成本迅《なるもとじん》教授（47）は「伝え方や聞き方を工夫することで、本人の意向に沿った治療が可能な場合がある。分かりやすい言葉で説明し、希望を聞くことが重要だ」と話す。

認知症患者は質問を理解していなくても「はい」と答えてしまうことがある。このため、成本教授は「治療方針について聞く場合は、イエスかノーかではなく、本人に治療の利点や欠点を語ってもらうことで、理解できているかを見極めるなどの工夫が大切だ」と指摘する。

成本教授は二〇一五年に「認知症の人への医療行為の意思決定支援ガイド」を作成。患者や家族向け、医療従事者向け、介護者向けの三種類をインターネットで公開している。医療従事者には「薬剤や合併症の影響など、医療方針を決める患者の同意能力低下をきたす要因を改善することで、本人の意思決定が可能になることがある」と説明。患者の家族には、早い段階からの話し合いを心掛け、「患者本人ならどんな治療を望むだろうか」と考えるよう助言している。

厚生労働省も一八年六月、同様のガイドラインを作成。家族や医療・介護職のチームが繰り返し支援することや、図表などを用いて複数の選択肢を示すなど、患者の意思を確認する方法が示されている。成本教授作成の支援ガイドは、「成本　支援ガイド」で、厚労省のガイドラインは「厚生労働省　認知症　意思決定支援」で、それぞれインターネット検索して、閲覧できる。

覚悟を決めて在宅での看取り——悔いのない最期とは

花束であふれた祭壇の母は、変わらぬ笑みを浮かべている。三重県四日市市の斎場で二〇一八年六月二日、四十九日の法要後に営まれた「お別れの会」。あいさつに立ち、涙をぬぐう大月純子さん（63）を、八十八歳で亡くなった母志奈さんの遺影が見守っていた。

母が体調を崩したのは、三年前の十一月だった。四〇度近い熱を出して入院した病院で、肝臓に八センチのがんが見つかった。医師は切除手術を勧めたが、純子さんはうなずけなかった。「手術は嫌」「一日も早くここを出たい」。病院でずっと、母が訴えていたからだ。

高齢の体で手術に耐えて延命しても、本当に幸せなのだろうか。検査室に入るとき、心細そうに「純ちゃん」と腕をつかんで離さない母を見て、純子さんは覚悟を決めた。手術はせず、親子二人で暮らす自宅で最期まで母の面倒を見る。医師には「後のことは知りませんよ」と言われたが、母は二週間で退院した。

住み慣れた家で最期を迎える在宅死。厚生労働省や内閣府の調査では、自宅で人生の幕を下ろしたいと望む人が五割から七割に上っている。ただ、かつての三世代同居から核家族化が進み、「老老介護」が時代のキーワードの一つになった今、自宅で世話をしてくれる子どもや孫は近くには住んでいない。一九六〇（昭和三十五）年に70・7％だった在宅死の比率は、二〇〇〇年以降、12〜13％台にとどまっている。

純子さんは自宅に戻った母に病名を告げなかった。十六年前、同じ肝臓がんで亡くなった父の最期が忘れられずにいた。抗がん剤で命をつないだが、二年間の壮絶な闘病の末、「自分にできるのは死ぬことだけだ」と言い残して他界した。

「その父と同じ病気だと知れば、母は生きる意欲をなくしてしまうかもしれない。母には最期まで笑顔で過ごしてほしい」

純子さんのそんな思いを支えたのが、四日市市にある在宅クリニックの石賀丈士院長（43）だった。在宅死を望む患者の希望をかなえるため、〇九年、がん末期の訪問診療を専門とするクリニックを開設した。年間約三百人を看取っているといい、「かけがえのない思い出をつくることが、本人や残された人の後悔のない最期につながる」と感じている。

純子さんは思い出のため、毎週のように母と買い物や公園に出掛けた。がんが分かった病院で「一カ月持つか」と言われた母は、外出先で中華料理を平らげるまで元気を取り戻した。だが、誕生日を迎えた一八年二月ごろ、再び体調を崩した。食事が取れなくなって点滴に切り替わり、石賀院長は純子さんに「一カ月以内です」と告げた。

亡くなった一七年四月十六日の早朝。「はーっ」という普段と違う息遣いで、ベッド脇の純子さんは目を覚ました。急変した母の様子をクリニックの当直医に電話で伝えると、「お別れが近づいています」と告げられた。昼すぎ、東京から始発で駆けつけた弟（57）と純子さんに両手を握られながら、母は息を引き取った。

その日、母と一緒に食べようと準備していた炊き込みご飯は「お供えになってしまいました」。少し寂しそうにそう話すが、二年半前にがんが見つかったとき、自宅で看取ると決めた自分に悔いはない。母は人生の最後を幸せそうに過ごしてくれた。純子さんは石賀医師への手紙に書いた。

「私の人生の中でも、この千日は一日一日が煌《きら》めく宝石のような輝きです」

痛みから解放され眠るように――セデーションという選択

満開の桜。ストレッチャーに乗った妻は、こぼれんばかりの笑みだ。隣には不慣れなVサインを決めた自分がいる。介護ベッドが置かれていた部屋の壁には今も、妻と出掛けた最後の花見の写真が飾ってある。

岐阜県養老町の小寺正春さん（78）は二〇一三年、自宅のこの部屋で妻すみ子さん＝当時（70）＝を看取った。「すーっと眠ったんだ」。がんの激しい痛みに苦しんでいた妻が穏やかな最期を迎えられたのは、「セデーション」という医療行為を選んだからだ。

英語で「鎮静」を意味するセデーションは、死期が迫った患者を薬で眠らせ、身体的な苦痛を取り除く行為だ。一九九〇年以降、終末期の緩和ケアの現場を中心に広がってきた。日本緩和医療学会のガイドラインは、患者の耐えがたい苦痛に加え、余命が数日とみられることや、医療の選択肢が他にないことなど、実施に厳しい要件を課している。死を目的とし、意図的に命を縮める安楽死とは異なるが、「結果的に自殺ほう助と変わらない」と異論を唱える医師もいる。

「最後の手段だが、優れた処置であることには違いありません」。すみ子さんの主治医だった船戸崇史医師（59）は、そう考える。元々は大学病院の外科医だったが、九四年、がん末期の患者と向き合うクリニックを養老町で開設した。

乳がんを患っていたすみ子さんに出会ったのは、二〇一二年のことだ。それまでかかっていた病院で「もう治療法がない」と言われ、船戸医師を訪ねてきた。鎮痛薬の種類や量を調整し、すみ子さんは一年ほどは普段通りに生活できた。しかし、がんが背中に転移した一三年の春、自分の力では歩けなくなった。

満開の桜を見に出掛けたのは、その直後だった。自宅のベッドでふさぎ込むすみ子さんを見て、船戸医師が誘った。クリニックの職員がストレッチャーに乗せ、隣町にある堤防沿いの桜並木に行った。最初は渋っていたすみ子さんだったが、咲き誇る桜に「来年も連れてきて」と喜び、団子を二粒ほおばった。

だが、約一カ月後、病状が急変した。「なんでこんなにえらい（つらい）の」とすみ子さんは訴

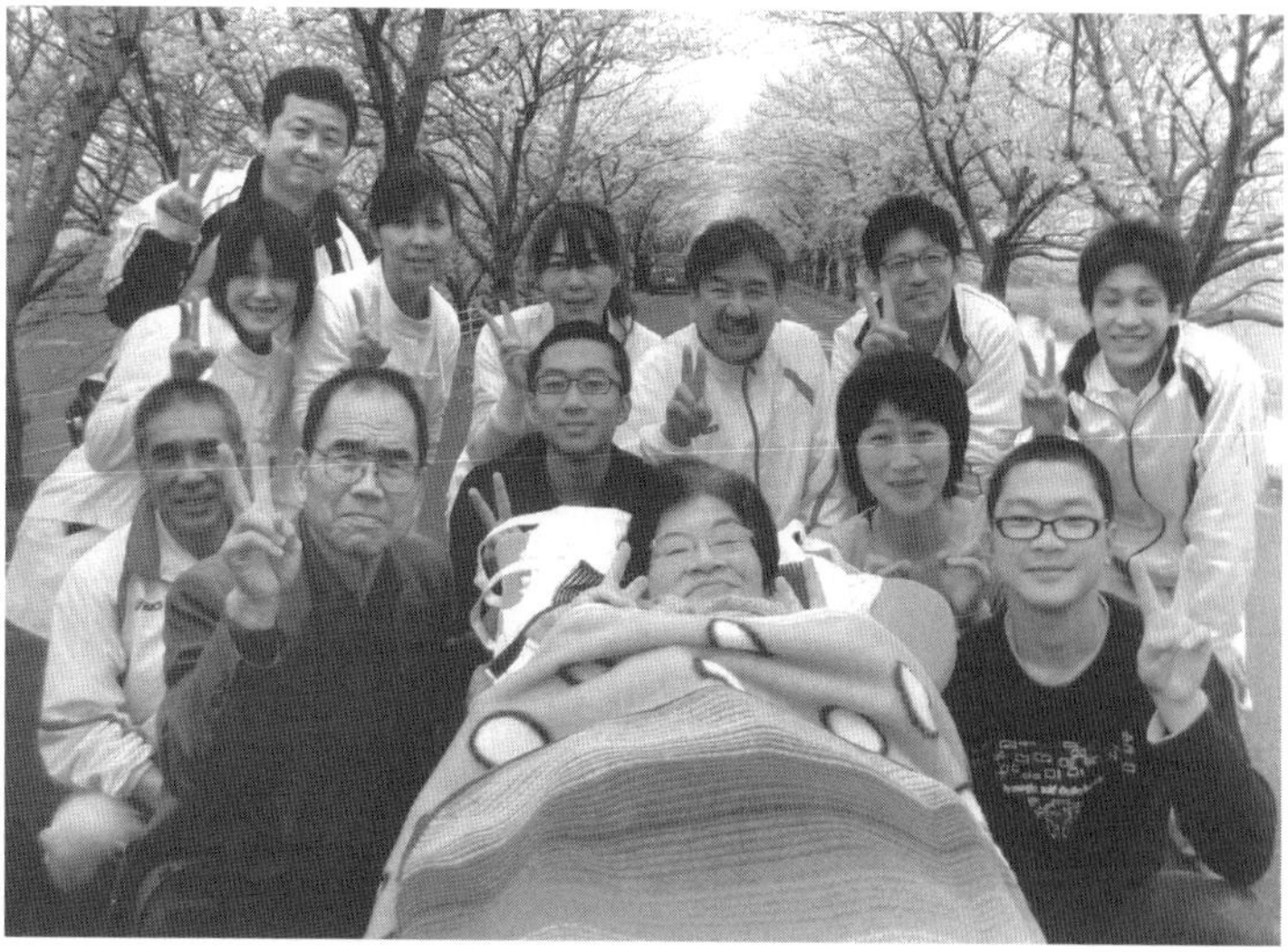

夫の小寺正春さん（前列左）、船戸崇史医師（後列中央）らに囲まれ、写真に納まるすみ子さん（写真は正春さん提供）。

えた。激しい痛みによりすみ子さんに投与された鎮痛薬のモルヒネの量は、治療を始めたころの四倍に増えていた。それでも改善せず、痛みが治まる気配は無かった。

「奥さんは持って週の単位です」。船戸医師は夫の正春さんに余命を告げ、こう続けた。「セデーションという方法があります。薬で眠らせます。恐らく痛みは感じません。ただ、もう起きることもありません」

もうろうとした意識の中で苦痛を訴える妻を見てきた正春さんは、船戸医師にうなずいた。「早すぎても遅すぎても、許されない。本人はぎりぎりまで頑張った」と正春さんは思っていた。妻から「楽になりたい」と聞いていた正春さんの決断を、長男と長女も理解して受け入れた。

数日後、セデーションを翌日に控えた夜だったと記憶している。妻から思わぬ言葉をかけられた。「お父さん、何も残してやれなくてごめんね」。正春さんは「ええ、ええ。言うことなしや」と答えたが、それが夫婦の最後の会話になった。

一三年五月十一日午前十時四分、鎮静剤を投与されたすみ子さんを家族全員が囲んでいた。薬で眠りにつくまで順番に告げた別れ。七十年の人生を「ありがとう」「お疲れさまでした」とねぎらったとき、すみ子さんは涙をこぼしたという。

生き続けるという意思――あなたがいるから

九十三歳の母の体には、鼻から胃まで細いチューブが入っている。その先端からゆっくりと栄養剤を流し込むのが姉妹の日課だ。

一日三回、合わせて五時間近く、姉（69）と妹（63）は母のベッドを少し起こし、体内で栄養剤が逆流しないように見守る。合間を縫って汗っかきの母を着替えさせ、床擦れができないように姿勢を変える。「命が続いてほしい」。その思いだけで、姉妹は同じ日々を繰り返す。

相模原市の自宅マンションで母が倒れたのは、二年前の夏だった。食べ物や唾液が食道ではなく、気管に入って起きる誤嚥《ごえん》性肺炎。九十歳を過ぎても身の回りのことは自分でできていたが、三カ月近い入院で一変した。口からはほとんど食べられないほど衰弱し、退院後の体重は四〇キロすらなかった。

訪問診療の医師は本人と姉妹に選択を求めた。「このままだと、あと数日持つかどうか。経管栄養を始めますか」

チューブを常に鼻から入れた生活は、時に苦痛を伴う。肺炎が再発する恐れがゼロになるわけでもない。「もう、いいよ」。ほぼ寝たきりのまま新たな治療を始めることを、母は最初、嫌がった。

だが、妹は涙を流して訴えた。「お願い、経管栄養をやって。生きていて」。姉妹の心にあったのは、戦後の物がない時代に家計を支え、自分たちを育ててあげてくれた母の存在の大きさだ。妹が叫ぶように何十分も懇願すると、母は首を縦に振った。「分かったよ」

以来、母はベッドの上でほとんどの時間を過ごしている。この先、元気な姿を取り戻すのは難しいかもしれない。時折「苦しい」とうめき、痰が絡んで言葉を出しづらそうなこともある。そんな時は二人とも「お母さんは、私たちのためだけに命を延ばしているのかも」と思い悩む。

それでも、姉妹にとって母と過ごせる時間は幸せだ。二人とも若いころから仕事に打ち込んできた人生だった。「あなたが子どものとき、デパートで迷子になってね……」。今になって母から初めて聞ける思い出話がある。不機嫌な時、介護する腕をつねってくる痛みさえもいとおしい。

母の命は、一本のチューブによってつながれている。「でも、それは無駄なことじゃないと思うんです」。姉妹はそう言い切る。

東京都板橋区の桜場猛さん（55）も人工的に命を保っている。「シュー、シュゴー」。人工呼吸器の音がするベッドの脇で、妻二三代さん（62）が話し掛けた。「母の日に、花の一本も持ってこなくてさ」

猛さんは大手ＩＴ企業に勤めていた三十三歳のとき、筋萎縮性側索硬化症（ＡＬＳ）と診断さ

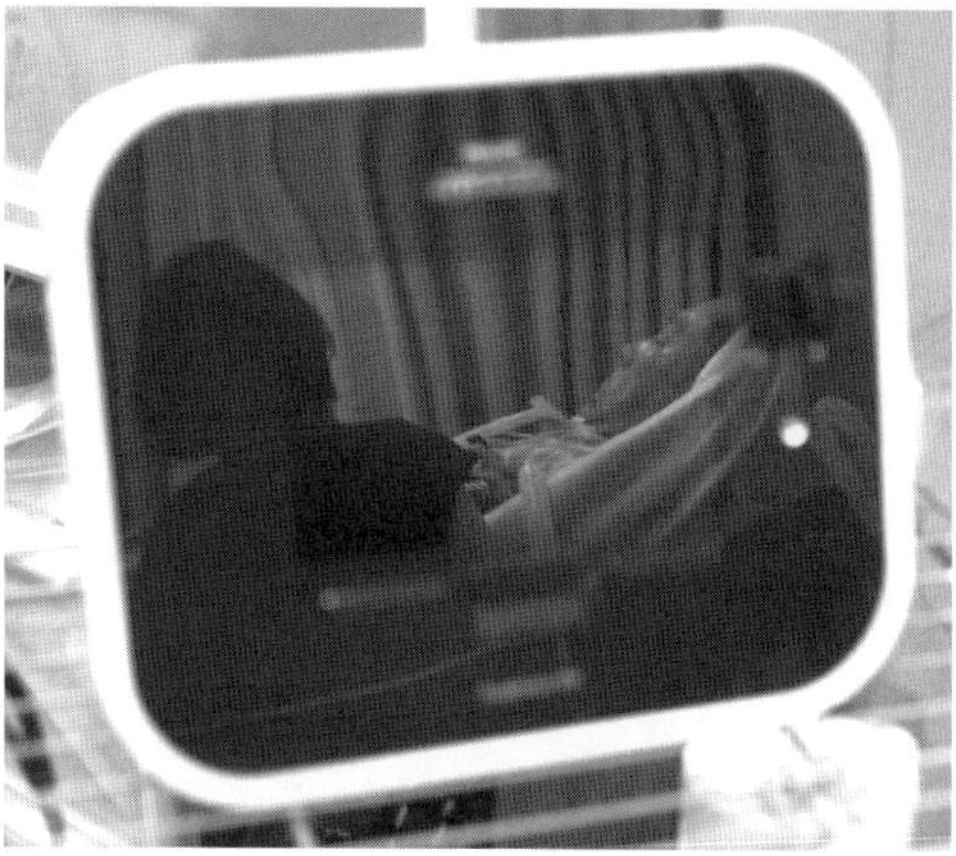

人工呼吸器で生きる桜場猛さんに話しかける妻の二三代さん。医療機関のモニターに２人の姿が映り込んだ。

れた。十五年ほど前から意思疎通ができなくなり、呼吸器だけでなくチューブからの栄養も欠かせない。二三代さんはその夫に、息子や娘の話を語り掛ける。返事はないが「受け止めてくれている」と信じている。

体が動かなくなり、思いが伝えられなくなった後も呼吸器を使い続けるのは、猛さん自身の意思だった。二三代さんは理由を聞いていない。ただ、病気になるまで家事や育児を分担してくれた姿を思い出し、「子どもの成長を見守るために、生きることを選んだのではないか」と考える。

「こんな状態で命をつないでも……」。他のＡＬＳ患者の家族にそう言われたことがある。自分自身、「本人はこの状態を本当に望んだのだろうか」と考え込んでしまうこともある。それでも、猛さんは家族の日常の中で生きている。介護で触れる夫の体は温かい。

interview

武蔵野大特任教授　**樋口範雄**さんに聞く

自分の最期、繰り返し話し合って

終末期医療や医師による治療行為の中止について、厚生労働省が基本的な考え方や手順を示すガイドラインを二〇〇七年に策定した際、有識者検討会の座長を務めました。富山県にある射水市民病院の医師が、回復の望みがないとされる患者の人工呼吸器を外した事件が前年に発覚したのが契機でした。

過去に刑事立件された呼吸器外しは、ほとんどが医師が一人で判断していたことを踏まえ、ガイドラインでは医師や看護師など多くの職種を含むチームで治療中止を検討する必要性を強調しました。もちろん、前提は本人や代理の家族の意思を尊重することです。

ガイドライン公表後は、日本救急医学会などの専門家団体が同様の指針を取りまとめたこともあり、延命治療の中止に捜査機関が介入する事例はなくなりました。

諸外国のような尊厳死の法制化を求める声も根強くありますが、法律を定めるとなれば、終末期はいつからか、医療ケアチームをどう構成するのか、家族の範囲はどこまでかなど、細かな定義をしなければなりません。

ただ、実際の医療現場の事情はさまざまで、家族状況も複雑です。結果的に、法の定義から少しでも外れる事例を罰しなくてはならない可能性が出てきます。ガイドラインという緩やかな形の方が良いのではないかと考えています。

二〇一八年三月のガイドライン改訂では、終末期の過ごし方を患者や家族、医師が事前に話し合う「アドバンス・ケア・プランニング（ACP）」という考え方を強調しました。ACPには、在宅や施設などの介護関係者も加わることが期待されます。患者本人の意思は変わっていく可能性があるため、医療方針を繰り返し話し合うことが大切です。

また、認知症患者など本人が意思を伝えるのが難しいケースも増えており、代理で医療方針を判断する人を事前に決めておくことの重要性も明記しました。

多死社会が進行する中で、自分や家族の最期にどのような治療を望み、拒否するのかを事前に考えたり話し合うことがますます重要になります。

▼ひぐち・のりお　1951年、新潟県生まれ。74年、東京大法学部卒。東大大学院教授などを経て、2017年から現職。著書に『超高齢社会の法律、何が問題なのか』（朝日選書）など。

6　別れのあとで――遺族の揺れる思い

延命の有無を含め、どんな最期を迎えるのか。本人の意思を尊重しても、見送った家族が後悔や自責、喪失感にさいなまれることがある。重い決断と死別の後を生きる姿を追う。

本当に延命しなくてよかったのか

あれから五年が過ぎた今も、自分は本当に正しかったのか分からなくなる。

愛知県豊田市に住む女性（64）は二〇一三年七月二日、食道がんを患っていた夫を亡くした。享年六十二。息を引き取る六時間前に自宅の洗面所で倒れ、救命救急センターで点滴の応急処置を受けた。

夫の様子を見て、主治医は告げた。「延命はどうしますか？　頑張っても三、四日ですが」。意識がない夫は眉間にしわを寄せ、拭いても拭いても体から汗が噴き出した。

「つらいんでしょうね」。主治医の言葉を聞き、女性は夫が以前から話していた最期の迎え方を思い出した。「管につながれて生かされるなら、死んだ方がましだ」。夫は確かにそう言っていた。駆けつけた長男と長女の意見も聞き、主治医に「苦しむだけで治らないなら、延命はしません」と伝えた。そう聞いた主治医は「ゆっくりお別れができるように」と個室を用意し、夫を移して点滴を外した。「今までありがとう」「もう頑張らなくていいよ」。まだ温かかった手を握りながら、家族は代わる代わる声をかけた。

夫が望んでいた延命なしの別れ。女性は「いい最期を迎えられた」と思っていたが、その日の夕方、鹿児島の実家から到着した夫の母親の姿を見て、心が揺らいだ。

八十六歳で息子を亡くした義母は足が弱り、付き添いの家族に支えられながら葬儀場に入ってきた。遺体の前で泣き崩れ、「冷たいね」と言いながら息子の腕をさすった。その姿に、女性は「せめてお母さんが到着するまで延命すれば、温かい体に触らせてあげられた」と悔やんだ。

女性は結婚した一九七二（昭和四十七）年から日記を書き続けているが、夫が亡くなった日からしばらくは「書けない」とだけ記して空白になっている。死別から二年後の日記でようやく「前を向きましょう」と自分を励ましているが、「本当に延命をしなくて良かったのか」との思いは強まっていた。

一五年六月に営んだ三回忌の法要で、女性は床に手を付き、実家から訪れた夫の母親にわびた。「延命をしなかった私のせいで、つらい思いをさせてしまいました」。その時、普段は優しい義母が「そんなこと、二度と言うな」としかった。「息子が死んだのは、あなたのせいじゃない。連れ添ってくれて感謝しているんだから」

今、九十一歳になった義母は、夫の弟と鹿児島で暮らしている。週に一度、日曜日の夜にかける電話では、「体に気をつけなさいよ」と気遣ってくれる。女性は重い腎臓病を患っており、人工透析を続けなければ命を落としてしまう。

悔いのない別れだったはずなのに、透析で訪れる病院で患者仲間と家族の話になると、寂しさがこみ上げる。「主人と旅行に行った」と聞かされた時は、笑顔でいる自分がつらかった。自宅の居間には夫の座布団が今もそのまま置いてある。

あの時、「延命はしない」と決めた自分に、長男も長女も「間違っていなかった」と言ってくれる。それでも、泣き崩れた義母の姿や寂しさを思い出すと自分を責めたくなる。「本当にあれで良かったのだろうか」。迷いを抱えたまま、女性は来年、夫の七回忌を迎える。

夢でも妻に会いたい

「みなさんが、うらやましいです」。二〇一六年の春、京都市で開かれた認知症の当事者や家族の集い。症状や介護の悩みを打ち明ける参加者に、中島良明さん（78）＝同市西京区＝は思わずそう言った。

テーブルを囲んだ十数人を前に、胸の内を続けて明かす。「世話がしんどいというのは、相手がいるということでしょ」。そして、こう続けた。「ええなあ」

半年ほど前の一五年十月、中島さんは妻紀美子さんを七十四歳で亡くした。東京五輪が開かれた一九六四（昭和三十九）年に結婚し、五十一年連れ添った妻。認知症に加え、神経の異常で徐々に体が動きにくくなるパーキンソン病も患っていた。二人の息子は独立し、ほとんど一人だけの介護生活が十二年続いた末だった。

紀美子さんは簡単な伝言、昨日会った人、ついには家族の顔も忘れていった。五十代のころは何度も一緒に海外旅行に出かけていたが、七十歳を前に車いすに頼る生活になった。やがては、スプーンで口まで運ばれた食べ物をのみ下すこともできなくなった。

生きるためには胃に穴を開け、チューブから栄養を注入する、胃ろうと呼ばれる延命措置が必要だった。でも、中島さんは妻を最後の二年ほど入所させた特別養護老人ホームで、人工的に命をつなぐ手段を選ばなかった。

迷いがなかったわけではない。やせ細っていく紀美子さんを見て、特養の医師に「先生、私は妻を飢え死にさせようとしているんでしょうか」とこぼしたこともあった。ただ、中島さんの頭には、元気だったころ「お互い、チューブを入れて生き続けるのはやめたいね」と交わした会話が残っていた。

「悔いのない決断でした」。中島さんは当時を振り返る。食事を取れなくなって一カ月後、紀美子さんは苦しむ表情もなく息を引き取った。告別式では「家内は人生をまっとうしました」とあいさつすることもできた。

それでも、後に感じたのは、寂しさばかりだった。

ダンスパーティーで引かれ合って結婚し、パートで家計を支えながら子育てに励んでくれた。たわいのない冗談を言い合える相手でもあった。「だから、介護に追われた日々でも一緒にいられる喜びがあったんです」

歩くのが難しくなった紀美子さんの手を握って町を散歩した日は、胸が高鳴った。「元気なころは恥ずかしくてできなかったから」と笑う。特養に入った後も、毎日会いに通った。

その妻が、もういない。ともに使った食器を洗っていた台所。いつも車いすを押して歩いた商店街。どこにいても、それを思い知らされた。介護生活の時から通っていた認知症の会合で「うらやましい」と漏らしたのは、そんなころだった。

自らの選択で妻を看取ってから、間もなく三年になる。中島さんは認知症の会合で知り合った仲間たちと、死別後の思いを打ち明け合う会をつくった。高齢化が進み、二〇〇〇年に八百六十三万人だった配偶者との死別経験者は、一五年に九百五十八万人と百万人近く増えている。

会の仲間と寂しさを共有することで自身も救われる思いだが、妻を忘れる時はない。「たまには夢に出てきてくれよ」。一人きりの自宅に夜が来ると、かつて紀美子さんが使った枕に頭を乗せ、

亡くなった妻の写真を見て思い出を振り返る中島さん。悔いのない別れだったが、寂しさが募る＝京都市で。

中島さんはまぶたを閉じる。

病名を知らず逝った母

母を看取って三カ月。新盆を迎えても、長女(60)の疑問は膨らんでいる。「もう長くないと知っていたら、母さんは最後にやりたかったことがあったのかな?」。遺影に尋ねても、返事はない。

八十六歳で亡くなった母が末期の大腸がんだと分かったのは、二〇一七年の夏だった。病院が嫌いでなかなか診察を受けず、体の不調を訴えて半年以上が過ぎたころ、長女らの説得でようやく重い腰を上げた。検査をした医師は長女に母の病名を告げ、「手術は難しい。お母さんへの告知を含めて、よく話し合ってください」と言った。

その後、母は入院。長女のきょうだい三人が病院に集まり、今後について話し合った。「事実をきちんと説明したほうがいい」との思いがなかったわけではない。ただ、年老いた両親が本当のことを知ったら、ショックで立ち直れなくなるのではないか。「だから、告知はしない」。それが結論だった。

事情を知らないまま退院した母は、定期検査のたびに「なんで良くならないんだろう」と尋ねた。それでも、長女らが「どうしてだろうね」と話をそらすと、それ以上は聞き返そうとしなかった。「本当のことを知りたい気持ちと知りたくない気持ちの間で、揺れていたんだと思います」。長女は生前の母の気持ちを推し量る。

「一日でも長く元気でいてほしい」。それがきょうだいの願いだったが、年が明けると容体が急激に悪化した。手足がむくみ、食事もほとんど受け付けない。「母さんはどうなってしまったんだ」と、父はうろたえた。「聞いてないんで、分からないよ」。長女はとぼけるしかなかった。

「やっぱり、本当のことを伝えたほうがいいんじゃないか」。不安げな両親の姿を目の当たりにするたびに、長女の思いは強まった。だが、回復が見込めない段階での告知に、どんな希望が持てるだろう。そう思い直し、口をつぐんだ。

あの時の自分が正しかったのか、長女は今、分からずにいる。がんであることを伝えたら確かにショックを受けたと思うが、母は生きる気力まで無くしてしまっただろうか。

退院後は体調が優れないにもかかわらず、趣味で集めた端切れをポーチに仕立てていた。「処分しなきゃ」。死が近づいていることに気がついていたのか、端切れを手に取りながらそう言っていた。

自分の最期を知ったとき、これだけはやっておきたいということが、他にもあったのかもしれない。余命の中で、それをかなえることができたのかもしれない。母に聞くことができない今、答えが出ないことは分かっているが、長女は「その機会を奪ったのは自分たちではないか」と問い続けている。

他の遺族と語らい、救われた

子どもたちのへその緒と一緒に、押し入れのミカン箱にしまっていた手紙がある。時間がたち、四枚の便箋は黄色に焼けている。

「いやな雨が降りつづいていますね。でも私の心はなぜか春日和《はるびより》。神様のいたずらで貴女《あなた》とお逢《あ》いすることが出来た幸せに、きっと心がおどっているからでしょう」

名古屋市西区の伊吹美恵子さん（69）が二十三歳だった一九七二（昭和四十七）年三月、後に夫となる寿一郎さんにもらった手紙だ。結婚後も家事や育児で疲れたときに読み返してきたが、その手紙の存在を忘れてしまうほど悲しみは深かった。

二〇一四年七月二十五日、美恵子さんは寿一郎さんを肝臓がんで亡くした。享年七十四。その前年、「余命は一年」と医師から告げられ、介護ヘルパーのパートを辞めて付き添った。最後の一カ月半は病院に泊まり込んで看病した。

覚悟を決め、後悔のない最期を迎えたはずだった。でも、思い出が詰まった自宅に一人でいると胸が締め付けられた。夜、物音を感じて起き上がり、誰もいない玄関で「やっぱりパパはいない」と泣いた。実家を訪ねてきた長男に「パパは何で帰ってこないの」と聞き、「死んだんだから当たり前だろ」と心配されたこともあった。

死を受け入れられないまま一年半が過ぎたころだ。外で人に会うときは悲しみを出さずにいたが、自分よりも早く夫を亡くした友人に「あなたも大変でしょ。一度来てみたら」と声を掛けられた。誘われたのは、配偶者と死別した人たちが思いを語り合うグループ「エージレス・ネットワーク」の会合。名古屋市内のビルの一室に、四十人ほどが集まっていた。

「夫や妻を亡くしたのに、みんなすごく元気だな」。美恵子さんは自分はまだそうなれないと思い、気持ちをしまっていた。だが、三回忌が近づいた一六年六月、抱えてきた悲しみが一気に噴き出し、感情を抑えることができなくなった。

思い出したくないのに、夫が苦しむ姿がよみがえる。ご飯を食べていても、部屋でくつろいでいても頭に浮かび、そのたびに涙が止まらない。どうしようもない気持ちになり、グループの会合の帰り道、メンバーの女性に打ち明けた。「私、おかしいのかな」

自分よりも年が若く、六年前に夫に先立たれていた女性は「命日が近づくと、みんなそうだよ。時間がたてば落ち着くから」と答えた。「あの一言で、私だけじゃないんだ、自分は普通なんだと思えるようになりました」。美恵子さんは振り返る。

この日を境に、美恵子さんは思いを語り始めた。「最期はとても苦しんでいた」「夫のことを思うとつらくなる」……。話していると涙があふれたが、他のメンバーも自分の経験を話しながら同じように泣いていた。打ち明けて涙を流すことで悲しみは薄れ、今では逆に「あなただけじゃないよ」と声を掛けてあげられる。

夫の四回目の命日が過ぎた二〇一八年七月二十九日。美恵子さんは次男の妻の誕生会で自宅に集まった家族に、ミカン箱にしまっていた手紙を見せた。「父ちゃん、こんなところがあったんだな」。長男は驚いた。

悲しみを乗り越えた今だから、静かな心で読み返せる。「私が死んだら、この手紙を棺おけに入れてね」。美恵子さんは二人の息子にそう伝えた。送り主の夫には心の中で「一人でも大丈夫。心配しないで」と話しかけている。

夫亡きあと、在宅を支えるボランティアに

風呂上がりの高齢男性の髪を、ドライヤーで乾かして整える。「すてきですね」「ありがとう」。東京都小平市にある在宅療養支援施設「ケアタウン小平」。市内に住む島本多江《かずえ》さん（59）は、ボランティアでデイサービスを手伝い始めて十一年になる。

多江さんは二〇〇七年七月十一日、夫の一道さんを五十歳で亡くした。米国に留学して経営学修士（ＭＢＡ）を取得し、独立して人材斡旋《あっせん》会社を経営していた四十九歳のとき、脳腫瘍を発症

した。手術を受け、放射線治療を約五カ月続けたが、主治医は多江さんに「これ以上やれることはない。ご主人との時間を大切にしてください」と告げた。

断ち切られた希望。「まだ中学生の息子がいるのに、どうしたらいいのか」と思い悩んだ。それでも現実を受け入れるしかなかった。覚悟を決めたとき、元気だったころの一道さんの言葉を思い出した。「最期を迎えるときは、わが家がいい」。多江さんは訪問看護を利用しながら、夫を自宅で看取ろうと決めた。

市役所でもらったケアマネジャーの名簿を頼って電話をしたが、「そこまで重い症状の方は、うちでは難しい」と口々に断られた。その中の一人に「相談してみては」と紹介されたのが、ケアタウン小平だった。〇五年に開設し、訪問診療や看護、デイサービスで在宅での看取りを支えている。同様の施設は当時、全国にほとんどなかった。

「これから奥さんも同じチームとして一緒にやっていきましょう」。ケアタウンの医師にそう言われ、多江さんはほっとした。オーストラリアとフランスに留学していた長男と長女は「父さんと過ごす」と帰国した。当時中学生だった次男と家族五人。一道さんは周りのことが徐々に分からなくなっていったが、家族みんながテレビを見て笑っていると、その姿を見てうれしそうに笑った。

「最期まで耳は聞こえています」。医師の言葉でベッドを囲み、泣きながら「お父さんありがとう」と別れを告げて、一カ月が過ぎたころだ。

夫が利用していた施設でボランティアをする島本多江さんは「今度は自分が寄り添いたい」と話す。

お礼を言うためにケアタウンを訪れた多江さんは、職員に「ご主人、デイサービスでよくこの場所に座っていましたよね」と声を掛けられた。「確かにそこにいた」と思うと悲しくなった。ただ、生前の夫を知る人たちと話をすると、心が癒やされた。ボランティアを始めたのも、施設にいると夫とつながっている気がしたからだ。

多江さんは週に一度、夫が生前に通っていた水曜日にデイサービスを手伝っている。利用者の送り迎えや話し相手、入浴後の身支度の補助、食事の盛り付け……。「今日のデザートはあんみつですよ」と伝えると、利用者の男性は「子どものころから甘い物が好きで」と、照れくさそうに笑った。

「夫の命が限られていても、私たちは幸せな日々を送れました」。それはこの施設があったからだと、多江さんは思っている。「今度は自分が」と通い始めたケアタウンの利用者は、かつての夫と同じように死と向かい合って生きている。

interview

東北福祉大学教授　**宮林幸江**　さんに聞く

遺族を癒やす力が失われている社会

愛する人との死別は、残された人に深い悲しみと強い喪失感をもたらす。遺族の悲嘆（グリーフ）は、どう癒やすべきか。「グリーフケア」の専門家である宮林幸江さんに聞いた。

多死社会を迎えるということは、愛する人を見送る遺族が増えることを意味します。死別による悲嘆を癒やすグリーフケアの重要性は、欧米では以前から知られていました。日本では二〇一一年の東日本大震災などをきっかけに広まってきましたが、グリーフケアを支える社会環境はまだ不十分です。

死別の悲しみは昔からありました。葬儀や法事は、遺族にとって準備が大変な半面、故人を思い出し、悲しみを打ち明ける貴重な機会でした。地域社会のつながりが生きていたため、近所の人や友人が遺族に声をかけ、寄り添うこともケアにつながっていました。

しかし、近年は地域のつながりが弱くなり、遺族の悲しみを受け止めて癒やす力が失われてきました。葬儀や法事も簡略化される傾向で、誰かが亡くなった事実が知人や近所の人に知らされないことも多い。結果的に遺族が孤立してしまうケースもあります。

以前は同居の祖父母との死別などを通じ、自然に「死」について考え、心の準備をする機会がありました。今は核家族化が進み、高齢になるまで身近な人との死別体験がない人も増えました。

人は死別を経験すると、深い悲しみとともに、強い不安感や無力感を抱える状態が長く続きます。グリーフケアでは、まず遺族の気持ちを誰かがじっくりと聞くことが大切です。遺族は話すことで気持ちを整理でき、感情を表に出して涙を流すことで悲しみを癒やすことができます。

食欲がなくなったり眠れなくなったりする身体的な症状が出ることもあります。専門的な知識を持った看護師や臨床心理士らが症状を聞き取り、場合によっては精神科の診療を勧めることも必要になります。

日本では、遺族が気持ちを打ち明ける機会や症状を相談する場が少ないのが現状です。国や自治体が中心となって、グリーフケアの知識を持った人材育成や相談窓口の整備が急務だと考えています。国はグリーフケアを正規の医療行為に位置付け、診療報酬の対象とするなど、政策的に後押しするべきでしょう。

▼みやばやし・さちえ　1953年、福島市生まれ。東京医科歯科大大学院で博士号取得。専門は老年看護、グリーフケア。99年、夫との死別をきっかけに遺族ケアを始めた。2008年、ケアを担う人材を育成する一般社団法人日本グリーフケア協会を設立、会長を務める。

●取材の周辺●――杉藤貴浩

死を見つめる意味

独特の厭世観が味わい深い哲学者の中島義道さんは、人は必ず死ぬということを知った子どものころの衝撃を振り返り、著書『カイン』の中で述べている。

「ぼくには、なぜみんな学校が楽しそうなのかわからなかった。（中略）とりわけなぜみんな死ぬのがこわくないのかわからなかった。（中略）なぜ、みんなわかったふりをするのか。なぜ、みんな問い続けようとしないのか」

大人になってからも、次の通り。

「国家のため社会のための仕事ほどバカらしいものはありません。（中略）行政改革や選挙法改革、大学改革や教育改革、医療改革や老人介護問題どれをとっても『明日あなたは死んでしまうかもしれない』こと以上に重要なことではありません。（中略）その一つ一つは『あなたはまもなく死んでしまう』ということから目をそらせ、あたかも死んでしまわないかのように自己催眠にかけて成立しているものだ」（『人生を〈半分〉降りる』）

なかなか極端な思考なのかもしれないが、ふとした時に近しい感覚を持つことはないだろうか。たとえば、意義深いとされる仕事を達成する。達成できなくとも、努力する過程を経て成長する。あるいは友人知人と楽しく酒を飲み、趣味や時事の話題、各種うわさ話に興じる——。もちろん、その時々に充実感や楽しさはある。

しかし、である。みんな死んでしまうのだ。大切だった仕事や家族、仲間、財産、地位や肩書、趣味、社会的関心事を残して、やがて誰もがこの世から跡形もなく消えてしまう。生まれる前をゼロとすれば、死んだ後もゼロ。人生という山を登って下りるだけなら、その山の高さや景色にどんな意味があるのだろう。

実は、時折そんなことを思いながら、本書のもととなった連載「メメント・モリ」を担当しはじめた。結論から言えば、取材の機会をいただいた一人一人から、少しずつその答えをもらったように感じている。

本書五章に登場する北海道函館市の認知症の女性は、余命一～二カ月とされる胃がんだった。本文中で紹介した絵画のほかにも刺繍が上手で、話をうかがった後、私にもプロ野球北海道日本ハムファイターズのクマのマスコット「B☆B」を縫った布巾を一枚くれた。お礼を言いながら、

「僕、中日ドラゴンズの会社の記者なんですけど」と笑い合ったのを覚えている。

一人で最晩年を送っているのは、夫と別れ、娘にも先立たれたから。当時、一人息子とは絶縁状態だった。だが、女性は取材の後、想定される余命以上を生き、死の直前に息子と再会することができたという。

「親子でどんな和解があったのかまでは知りませんけど」。新聞掲載を終えた後、担当医からこの後日談を聞き、生き抜くということの意味を考えさせられた。

おそらく幸福だけに彩られたわけではない人生を、グループホームの壁に飾った家族の絵や縫い物に囲まれた閉じた女性。そして、最後の最後に、長く顔も見られなかった息子との時間を持てたという事実。果たして、その死を「ゼロ」と呼べるのだろうか。「単身高齢者と認知症」という記事のテーマを超えて感じたのは、人の命が最後まで持つ可能性の大きさだった。

一方、命尽きるまで生き抜くということだけが絶対ではない。そう教わる出会いもあった。延命治療の選択をめぐる葛藤を描いた五章で通いつめた済生会滋賀県病院。その中で、塩見直人医師から聞いた経験談は今も胸に残っている。

医師になって二、三年目のころだったという。頭を強打して意識不明の男性が搬送されてきた。何とか死なせまいと手術に全力を尽くし、実際、男性は命を保った。だが、その後は長い植物状態に。結果、男性の家族からはこう言われた。「こんな手術なら受けない方がよかった。先生は若いんですね」と。

懸命の治療だった。むろん手術の同意もとった。「でも、植物状態になった後の本人や家族の生活にまで思いが至らなかった」と塩見医師。今、患者や家族とともに最期の選択を丁寧に考える原点となっている。

死は必ずしも敗北ではない。塩見医師や人工呼吸器を外した家族の取材を通じ、私自身が感じたのは、そんなことだ。

経済成長を通じて生を謳歌し、医療の発達を遂げて日常から死を遠ざける。本書が背景とする多死社会は、そうした戦後日本の価値観からすれば、決して明るい世の中とは言えないだろう。経済や国力という点からすれば敗北なのかもしれない。

だが、人は必ず死ぬという事実に目をそらさず、一つ一つの死と向き合うとき、そこから得られる実感は、やはりやがて死を迎えるわれわれ自身の生を豊かにしてくれるはずだ。今も自宅の台所でクマの刺繍が入った布巾を使うたび、私はそう思っている。

7　ひとりで逝く――つながりが失われるなかで

二〇六〇年には、国民の五人に二人が六十五歳以上になる日本。一人暮らしで、人知れず亡くなっていく高齢者も増えていく。身寄りがなく遺体の引き取り手もいない「無縁死」や、社会から孤立して自宅で最期を迎える「孤独死」の現実を追った。

保冷室で三週間――引き取り待つ遺体

二〇一八年六月上旬、名古屋市近郊の斎場で、ある男性の葬儀が営まれた。遺族の姿も、読経もない簡素な葬儀は、十五分で終わった。「ええとこ、行くんやぞ」。喪主を務めた友人の奥田隆宏さん（66）＝愛知県春日井市＝は、約三週間前に六十八歳で病死した男性の遺体に語りかけ、顔をそっとなでた。

二人の付き合いが始まったのは七年前。トラック運転手の職を失い、車上生活を送っていた男性に、奥田さんが声をかけた。

「私もいろんな人に助けてもらったから」。奥田さんも、会社が倒産したり、心筋梗塞を起こしたりして、仕事ができない時期があった。男性の境遇を自分に重ね、気に掛けてきた。

葬儀の三カ月前、全身に転移したがんの痛みから男性が入院した時は、身元保証人を引き受けた。「安心しろ。葬式、ちゃんとしてやるから」。そう約束した直後の五月十五日、男性は息を引き取った。

ところが、葬儀や火葬の相談に出向いた役所の職員からは「まずは家族の意向を確認する必要がある」と告げられた。火葬に必要な死亡届を出せるのは、遺族や病院長などに限られる。友人の奥田さんにはその資格がなかった。

男性には県外に十歳下の妹がいる。だが「三十年以上、連絡は取っていない」と聞いていた。役所の職員が戸籍などから妹の所在を探し出し、男性の死を伝えたが、妹は遺体の引き取りを拒み、奥田さんが喪主を務めることになった。

役所が「引き取り手なし」と判断するまでの約三週間、遺体は斎場の保冷施設に安置された。「冷蔵庫に入れられていたなんて」。奥田さんは頼れる身寄りのない男性を哀れんだ。

国が二〇一七年に行った調査によると、高齢者世帯のうち、一人暮らしはほぼ半数の六百二十七万四千世帯。非婚率が上がり、家族関係が薄まっていく時代に、遺体の引き取り手が見つからない例が各地で増えている。

そうした遺体を年に三百体ほど預かる名古屋市の斎場の支配人（45）は「保管が一年近くに及ぶこともある」と打ち明ける。三十体まで収容できる地下の安置室は近年、ほぼ満杯という。

三十平方メートルほどの保冷室内は、遺体の腐敗を防ぐため、温度が五度前後に保たれている。上下二段の棚には、棺《ひつぎ》が整然と並ぶ。その一つには、一七年十二月に運び込まれたことを示すメモがあった。

「引き取り手なし」と判断された遺体は、死亡地の市町村が火葬する。奥田さんが弔った男性も荼毘《だび》に付され、遺骨は公営の納骨堂に納められた。遺族から申し出がなければ、十年をめどに合葬される。

「自分もいつか、無縁墓に入ることになると思っています」。実家とは縁を切っている奥田さん自身も、そう覚悟している。

葬儀から三カ月後。奥田さんは納骨堂を訪れ、線香を上げた。「悪い人間じゃなかった。僕が忘れてしまったら、誰も気にかけなくなってしまうでしょ」。家族や社会から孤立し、亡くなっていった友への思いを胸に、供養を続ける。

column 無縁遺骨は十年保管、返却はわずか

名古屋市天白区の八事霊園の一角に設けられた納骨堂「東山霊安殿」には、行き場を失った無縁仏の遺骨が引き取り手を待ち続けている。窓のないコンクリートの壁に囲まれた薄暗い約四十平方メートルの室内には、五列の整理棚に隙間なく並べられた桐箱《きりばこ》が、天井近くまで積み上げられていた。

二〇一八年九月二十六日午後、霊安殿で三カ月に一度の定期法要が営まれた。施設を管理する市社会福祉協議会の職員三人が、出入り口近くに設けられた祭壇に手を合わせた。お経を上げ、法要は十分ほどで終了。市社協では定期法要に加え、年一回の慰霊祭を営んでいる。

一八年度に市を通じて引き取った無縁遺骨は九二八体。増加傾向が続く中で、統計が残る一九九三年度以降、最多を更新した。担当の川隅友紀雄主事は「今後も増えていくだろう」と話す。

近年目立つのが、経済的に余裕があっても、頼れる親族や縁者がいなくて孤独死し、遺骨の引き渡しができないケースだ。市社協によると、霊安殿に納骨されたうち、生前に生活保護を受け取っておらず、自宅や病院で亡くなった例は、九〇年代には年間で五件前後にとどまっていた。しかし、ここ十年で急増しており、二〇一八年度は一三〇件もあった。

市社協は、保管場所を確保する目的もあり、預かってから十年を迎える無縁遺骨につい

て、市を通じてあらためて遺族に引き取りを打診したり、官報で公告したりしている。「一度は拒んだ遺族であっても、十年という時間を経て、気持ちが変わることもあります」と市社協の担当者は言う。ただ、返却できるのはごく少数にとどまり、二〇一七年度で二七体。一方で、引き取られないまま無縁墓に合葬されたのは、六九〇体に上った。

引き取り手がない無縁遺骨が納められている東山霊安殿に設けられた供養場＝名古屋市天白区で。

最期の部屋から――生活再建途上での孤独死

二〇一八年九月上旬のある朝、ゴム手袋と大量のゴミ袋を抱えた三人の作業員が、名古屋市内の幹線道路に近いマンションの一室に入った。

ベッドの近くには、心臓発作を抑える薬が散乱していた。テーブルには飲みかけのコーヒーやガス料金の督促状が見える。窓際には洗った下着が干されていた。

「典型的な孤独死の現場です」。特殊清掃を請け負う「こころテラス東海」の香川浩司さん(51)が、畳に染み込んだ遺体の跡を指して言った。

この部屋で八月下旬、六十歳の男性が亡くなった状態で見つかった。死後一カ月ほどが過ぎていた。その間の記録的猛暑と相まって、遺体の腐敗が進んでいた。

マンションの管理会社からの依頼を受け、死の痕跡を消すのが三人の任務だ。あらゆる小物をゴミ袋に入れ、ベッドや布団などを運び出す。遺体の跡が残る畳や床板をはがし、部屋全体に消毒と脱臭のための薬剤を吹きかけた。

テーブルや衣類、腕時計や通帳に至るまで、搬出物の総量は二トンに及んだ。遺品を引き取る遺族はおらず、すべて一般廃棄物として処理される。費用は十万~三十万円が相場だ。

「孤独死」。確立した定義はなく、研究論文や出版物によって説明はさまざまだ。広辞苑には二〇〇八年発行の第六版から収録され、「看取る人もなく一人きりで死ぬこと」と記された。

全国的な件数の統計もない。ただ、東京都監察医務院の調査によると、一六年に東京二十三区内の自宅で死亡した一人暮らしの高齢者は三千百七十九人。十年前と比べて一・七倍に増えた。

中部地方で約三百件の現場を見てきた香川さんも「孤独死による特殊清掃のニーズが増え、参入業者も相次いでいる」と実感している。「身寄りがなく、仕事もままならず、社会や地域とのつながりがない人が目立ちます」

亡くなった男性も、家族はおらず、ただ一人の親族である妹とは疎遠だった。友人との付き合いも、ほとんどなかった。新聞の集金をしていた女性（69）は二年ほど前、男性から「頼れる身寄りはいないんだ」と聞いた。「心臓のペースメーカーの電池を交換しないといけない」と病を苦にしていたこともあったという。

男性は心臓に持病があり、五年前には発作で倒れ、清掃業の仕事ができなくなった。同業者の森好美さん（47）＝名古屋市千種区＝は「収入が途絶えて困っていたので、生活保護の申請を手伝いました」と当時を振り返る。

男性はその後、ペースメーカーを入れて仕事を再開した。生来のまじめさで、ホテルや短期賃貸マンションの清掃をこつこつとこなした。収入は少なかったが、休みの日には、趣味の読書を楽しんでいた。

二〇一八年五月に森さんが電話した際、男性は「元気だけど、病院の予約がなかなか入らない」と話していた。それから四カ月ほどして、悲報が届いた。「急な発作で誰にも連絡できず、死んでいったのでしょうか」。世間的に男性の死は孤独死と言われる。だが、生前の男性の様子を知る森さんは実感がわかないという。

生活を立て直す中で訪れた、突然の結末だった。孤立を苦にしていたのか、それとも穏やかな日常の中で迎えた最期だったのか。今となっては、知るよしもない。

町内会長の憂い――交流なく気づけなかった

冷たい雨が、垣根を越えて伸び放題になった庭の草木をぬらす。こぎれいな一戸建てが並ぶ名古屋市近郊の住宅団地で、その家は異彩を放っていた。

「お年寄りが一人で死んだのに、周囲が気づけないのは切ないね」。町内会長(72)が、柵越しにのぞき込みながら、そう言った。二〇一七年六月末、この家で暮らしていた八十一歳の女性が亡くなった。以来、庭を彩っていたマツやサツキ、イチジクなどの手入れは行われていない。

女性は八年前に夫と死別した後、一人で暮らしていた。近くの住民が「最近、姿が見えない」と市役所に連絡した時、郵便物はたまり、宅配ボックスに届けられた食材は腐っていた。中に入った救急隊員が、風呂場の前で女性を見つけた。死亡から一週間が過ぎていた。

その三カ月後。百メートルほど離れた家で、八十六歳だった男性が亡くなっていた。死後三週間。やはり一人暮らしで、居間のソファに座ったままだった。男性には身寄りがなく、民生委員が身元を確認した。

ほぼ半世紀前、高度経済成長の時代に開発された住宅団地で、続いて発覚した孤独死。「三週間も放置されていたのは、住民にも大きなショックだった」と町内会長は振り返る。

団地には現在、約七百世帯が暮らす。独居高齢者は百世帯を超える。六十五歳以上の比率は全国の27・7％を上回る33・2％。全国が33％に達するのは二〇三五年ごろで、一足早く超高齢化に直面している。

住民の多くは、三十代前後の働き盛りのころにマイホームを求め、移り住んできた人たちだ。「所得が高く、他人の世話にならずに暮らしてきたせいか、仕事を辞めた後も近所を頼ろうとしない傾向がある」と町内会長は言い、住民同士が「助けて」と言えないこの団地特有の傾向が孤独死の背景にある、とみる。

住民によると、亡くなった女性は高校教諭だった。子はおらず、伴侶を失ってからは「夫が亡くなり、自由にやっている。夕食も考えずにすむ」と家に閉じこもりがちになった。緊急連絡先などを登録する「福祉票」の記載も「しばられるようで嫌だ」と拒んだ。

食事や家の修理など、困った時は、宅配サービスを利用していた。隣人は「心を開くことはなく『しょうゆ貸して』という付き合いはなかった。夫が亡くなったことさえ、知らなかった」と話した。

亡くなった近くの男性も、五年前に妻が他界して以来、地域とのつながりが途絶えた。周りから町内会の交流会に誘われた時も「そういうのは苦手」と断っていた。

二人の死後、町内会は、新聞販売店に安否を確認してもらう見守り制度への参加を促した。十数人が契約したが、独居高齢者の二割にも満たない。お茶飲み会や健康体操を企画しても、参加するのは同じ顔ぶればかりだ。

「孤独死というけど、本人にとっては住み慣れた家での納得の最期だったのではないか」。住民から聞こえてくる声を、町内会長は「他人に介入されたくない、という気持ちはわかる」と受け止める。「だけど……」とも思う。

付き合いを拒む隣人が、人知れず世を去って行く。同じ地域に暮らす住民として、何ができるのか。限界を感じている町内会長は、多死時代を迎えた団地の未来を案じている。

〝身内〟のような他人との契約——後始末をだれに

車の助手席から、萬谷幸子《まんやゆきこ》さん＝千葉市美浜区＝が秋の日差しの乱反射する東京湾をまぶしそうに見つめた。「いつ死んでもいいと思っていたけど、この年になると、長生きも悪くないわね」。この日は九十歳の誕生日だった。

卒寿のお祝いでドライブに誘った三国浩晃さん（49）が笑顔で応じる。「生きるのが楽しくなってきたんじゃないですか」。昼食は萬谷さんが望んだ伊勢エビの刺し身を食べた。戦争体験や脳梗塞の後遺症のことなど、会話は途切れることなく続いた。

つえを手放せないおばあちゃんと、NPO法人「人生まるごと支援」（東京都港区）の理事長。二人の縁は、萬谷さんが「ひとりで自宅で死ぬ」と決めた時から始まった。

九年前の秋、萬谷さんは甲状腺と肺のがんに苦しんだ五歳下の弟を、病室で看取った。二人のおいが電話帳で葬儀社を探す姿を見て、「私の後始末は誰がやってくれるのだろう」と不安になった。

夫は亡くなり、子どもはいない。八十一歳で団地に一人暮らし。おいには迷惑をかけられない。新聞や本を読みあさったが、答えはなかった。

一年半が過ぎたころ、電話帳の「葬祭」のページに「人生まるごと支援」の広告を見つけた。死亡後の処理を代行する、との触れ込みだった。

葬儀や遺品の整理、公共料金の解約などの死後事務を請け負う団体で、日々の見守りや遺言の執行もしてくれる。すぐに申し込んだ萬谷さんは、一年余りですべての死後事務委任契約を結んだ。葬儀社と納骨堂も決めた。

葬儀や遺品整理など死後の手続きについて、三国浩晃さんと話し合う萬谷幸子さん＝千葉市美浜区で。

二〇一六年には、軽い脳梗塞で初めて入院を経験した。早い消灯時間になじめず、看護師やヘルパーにまで気を使う毎日だった。「やっぱり、死ぬ時は自宅がいい」と痛感した。

退院してすぐ、強風にあおられて転び、今度は右の腰骨を折った。整形外科医からは「どうせ良くならない。一人で暮らしていると孤独死するから、施設に入りなさい」と言われた。

突き放したような言葉に、診察に付き添った三国さんが「その言い方はひどい」と憤った。萬谷さんは、親身な姿勢を頼もしく思った。

身内のような他人。ひとりで逝くと決めた萬谷さんにとって、三国さんは相談相手でもある。「長男が仕事を辞めて大変そうなの。入院時に立ち会ってくれた次男にも感謝しているし…」。最近の悩みは、二人のおいへの財産分与だ。

迷っている様子を話す姿を見て、三国さんは「自分の思いが大事。遺言で相続の割合も変えられます」と助言した。「本人の意思を反映させるのが私たちの役目ですから」と三国さんは語る。

夫も子どももいない自分だが、「身の回りのことを任せて、安心しました」と萬谷さんは話す。旅立つ準備は整いつつある。「あとは『朝起きたら死んでいた』というのが理想だわ」。そう言って顔をしわくちゃにして笑った。

column **契約で身元保証、死後事務にトラブル発覚**

高齢単身世帯の増加を背景に、身元保証や安否の見守り、遺品の整理などのサポート事業を担う事業者が増えている。病院や施設に入る際の身元保証人や亡くなった時の遺体の引き取り手が見つからない高齢者の受け皿となっているが、契約を巡るトラブルも発覚した。厚生労働省は利用者向けの手引書を作成して注意を呼び掛けている。

厚労省によると、事業は「日常生活支援」「身元保証」「死後事務」の三つに分かれる。事業者は全国に数十～一〇〇団体あるとみられるが、提供するサービスや地域は異なる。規模や料金設定もばらばらで、会費とは別に必要経費として「預託金」を求めるところもある。

二〇一六年一月には、東京都港区の

高齢者サポート事業利用時のチェックポイント

1	要望の整理	□ 何をしてほしいかを明確化（身元保証、死後事務委任など）
2	支払い能力の見極め	□ サービスを使う期間を想定して総額を計算
		□ 資産状況と照らし合わせ、支払えるか検討
3	サービス内容の確認	□ 要望を明確に事業者に伝える
		□ 事業者ができないことを確認し書面に残す
		□ 契約書の内容を変えたいときは積極的に希望する
4	リスクへの備え	□ 誰と何の契約をしているのか書面に残し、分かりやすいところに保管
		□ 契約内容の変更や解約の手続きを文書で説明してもらう

相談先が分からないときは…→**地域包括支援センター**
契約で分からないことがあるときは…→**消費生活センター**

公益財団法人「日本ライフ協会」が、預託金から二億七千万円を人件費などに流用、一億七千万円を不正に融資していたことが発覚した。公益財団法人の認定を取り消された末に破産し、会員の一部に預託金が戻らないトラブルが起きた。死亡した会員から譲り受けた遺産を巡る脱税で摘発された業者もあった。

こうした事案を受け、厚労省は一七年度に業者の実態などを調査した。二〇一八年八月には、『「身元保証」や『お亡くなりになられた後』を支援するサービスの契約をお考えのみなさまへ」と題した手引書を作った。身元保証と死後事務の基礎知識や、起こりがちなトラブルの例を列挙し、「何をしてほしいか明確化する」「何の契約をしているのか書面に残し、分かりやすいところに保管する」などのチェックポイントを箇条書きでまとめている。

相談窓口として、地域包括支援センターや消費生活センターを紹介し、消費者庁のホームページでも公開している。

高齢者サポート事業に対し、行政による指導や監督を求める声もある。ただ厚労省の担当者は「特別な資格が必要な業種ではないため、届け出制度を設けると、かえって職業の自由を制限してしまう恐れがある」と説明する。所管する官庁はないといい、「現状では消費者側の意識を高めて被害を防ぐしかない」と話している。

終のすみかで施設の仲間と眠る

染川はつさん（95）が暮らす「終《つい》のすみか」は、一階の突き当たりにある。手作りのパッチワークに彩られた二十四平方メートルの部屋には、小さな台所とベッド、座卓が並ぶ。毎朝五時半に起きると香をたき、「今日もお願いします」と手を合わせる。「やり残したもんなんて、何もない。すんなり逝ければいい。一日がうまくいけば上等。時が来れば逝くんだから」とさっぱりとした笑顔で言う。

愛知県西尾市の高齢者施設「せんねん村平口」。頼れる家族や親類もなく、友人にも先立たれた染川さんは「ここで最期を迎えよう」と決めている。

同県豊橋市に生まれ、終戦直前の一九四五年八月、二十二歳で結婚した。だが、豊川海軍工《こう》廠《しょう》に勤めていた夫は挙式の翌日、空襲で亡くなった。再婚して一女をもうけたが、しゅうとめとの関係に悩み、三十歳で娘を置いて家を出た。以来、調理師として働きながら独りで生きてきた。

入所を決めたのは、日本が超高齢社会に差し掛かり、介護保険制度が始まった二〇〇〇年の夏。一人暮らしだった友人の訃報を聞いたのがきっかけだった。

新聞がたまっていると通報を受けた役所の職員が室内に入った時、友人は事切れて一週間ほど過ぎていた。「扇風機の前で、ぞうきんを握りしめて倒れていたんだって」。遺体の腐敗が進み、染川さんは通夜での対面もかなわなかった。

染川さんは当時、七十七歳。六人のきょうだいのうち、四人はすでに他界していた。末弟は音信不通で、唯一、連絡を取っていた長姉は関東の施設暮らしで頼れなかった。「自分も、孤独死してしまう」。そんな不安に駆られていた時、翌年に開設を控えたせんねん村のちらしを役所で見た。

茶飲み友達と話題にすると、「まだ早い」と言われた。「じゃあ、誰か私の面倒をみてくれるの」と聞き返すと、皆黙り込んだ。そのようなやり取りの後、染川さんは「施設のお世話になろう」と心を決め、築五年ほどの一戸建てを引き払った。

人生の最後をどこで迎えるか。病院での死亡が七割を超える現代、三〇〜四〇年代には、四十万人のベッドが足りなくなるとの予測もある。国は介護施設を含む在宅での看取りを増やす方針を打ち出している。

そんな時代を見越すように、せんねん村は開設した〇一年から施設での看取りを実践してきた。入所後に亡くなった高齢者の八割近い約二百五十人が、自室で最期を迎えた。

開設時から携わった木下典子さん(47)は「死は必ず訪れるもの。加齢による自然死が本来の姿」と話す。入所者のほとんどが、延命のための治療を望んでいない。

九月中旬にも、九十五歳の女性が自室で息を引き取った。施設内でしばらく安置された後、正

「終のすみか」に決めたせんねん村の自室でくつろぐ染川はつさん＝愛知県西尾市で。

面玄関から出棺される女性に、染川さんは「苦しまずに、良かったねえ」と別れを告げた。穏やかな死に顔に、身寄りのない自分の行く末を重ねていた。

三年前には口内にがんが見つかり、下の歯茎をすべて削り取った。医師からは再発や転移の可能性はぬぐえないと言われている。

「ここまで生かしてもらったんです。悠々たる気分で、心配は何もありませんよ」と染川さんはきっぱりと言った。遺骨は、ここで見送った仲間が眠る、せんねん村の合葬墓に納めてもらうと決めている。

interview

淑徳大学教授 **結城康博** さんに聞く

孤独死対策は地域活動で一定の効果

多死社会の到来とともに増加傾向にあるといわれる「孤独死」について、社会福祉学が専門の結城康博・淑徳大教授（49）に背景と対策を聞いた。

孤独死について確立した定義はなく、全国的な統計もありません。私が考える定義は、自殺や犯罪被害者などは除き、「誰にも看取られず、自宅で一人で亡くなり、発見まで数日以上を要した事案」です。孤独死の統計がある東京二十三区のデータをもとに計算すると、全国で毎年三万人を超える六十五歳以上の高齢者が孤独死していると推測されます。今後ますます増えていくのは確実です。

高齢者人口が増えている上に、二世帯や三世帯同居が減り、高齢の夫婦だけの世帯が増えている。片方が亡くなれば単身世帯になり、孤独死の予備軍になる。生活スタイルや価値観の変化で、近所や友人との付き合いが減ったことも背景にあります。

孤独死が社会問題となっている最大の理由は、周囲の人に迷惑をかけるという点です。遺体が何日も発見されなければ、腐敗して異臭が出る。行政のコストもかかるし、住んでいた居宅の後始末も必要になります。

死後、できるだけ早く発見できるようにすることが大切です。生きているうちに異常を見つけられれば救命も可能になりますが、自宅で亡くなる単身高齢者の数をゼロにするのは不可能です。

方策としては、地域コミュニティーの見回り活動などが考えられます。例えば、千葉県松戸市の常盤平団地では、自治会が中心となって二〇〇三年ごろから自治会の役員らが一人暮らしの高齢者宅を定期的に巡回。孤独死対策として交流の場を設け、一定の効果を上げています。

ただ常盤平団地のように積極的に取り組む自治会ばかりではありません。役員や民生委員の負担は大きく、孤独死問題への意識が強いリーダーがいるかどうかによって、差が出てきます。国や地方自治体は、自治会に補助金を出すなどして、地域の自発的な取り組みをバックアップすべきでしょう。

▼ゆうき・やすひろ　1969年生まれ。宇都宮市出身。法政大大学院で博士号取得。専門は社会保障論、社会福祉学。自治体職員として介護や高齢者福祉政策を担当した。著書に『孤独死のリアル』（講談社現代新書）など。

●取材の周辺●——兼村優希

おひとりさまと身近な他人

自分の死後の後始末を他人に託す——。初めて「死後事務委任」という言葉を目にしたとき、その字面も手伝ってか、どこか無機質な印象を受けた。一人で死ぬために、プライベート色の濃いことも第三者に任せざるをえない。そんな「おひとりさま」の末路に、正直、複雑な思いを抱いていた。

このサービスにたどり着いた人の声を聞いてみたい。NPO法人「人生まるごと支援」の三国浩晃さんに連絡をとると、「ちょうど明日、九十歳になる人がいる。記念にドライブに連れて行く」とのこと。二〇一八年九月の初めだった。これも何かの縁かもしれない。勢いで同行を申し出たのが、萬谷幸子さんとの出会いだった。

卒寿の小旅行に初対面で押しかけてきた記者が、いきなり「なぜ一人で死にたいのか」「どう死にたいのか」と聞いてくる。何とぶしつけなことか。気が引けつつも、一緒に昼食の海鮮料理をつつきながら、その言葉に耳を傾けた。

「施設や病院なんて、いろんな人に気を使わないといけないし、行きたくない」

「おうちで死にたいねえ」

そんな話題を、常に笑顔で繰り広げる。骨と皮だけのような体だけど、萬谷さんは実によく食べ、よくしゃべった。日本史にも詳しく、記憶もはっきりしている。先祖をさかのぼると江戸時代の大名に行き着くこと、戦時中は長崎県の造船所で働き、終戦後に爆心地に入って被爆したこと。この年に一番暑かった日付までそらんじた。

年を取り、家族を亡くし……。おひとりさまになるまでに、人はたくさんのものを失う。「お仕事や家族だけを支えに生きてきた人って、なくしたとたん、何もできなくなっちゃうのよね」。萬谷さんも夫を看取り、弟を看取り、悲しみや寂しさを味わってきた。「でも、支えは自分でつくるものだと思うの。私にとってはそれが三国さんなのよね」と言葉を継いだ。

今のご時世、こうしたお年寄りの日々の生活支援や身元保証、死後事務委任などを請け負う業者は増えており、契約を巡るトラブルも起きている。ただ、特別な資格が必要なわけではなく、所管する官庁もない。信頼に足る他人は、自分で見極めるしかないのだ。

三国さんが運転する車内で、萬谷さんは居心地が良さそうにころころと笑う。こちらまでほがらかな気持ちになってくる。東京湾を見せようと、高台を探し回る三国さんを見やり、萬谷さんは「三国さんは、とことん尽くしてくださるの。ここを選んで本当に良かった」と、また笑った。無機質でもなく、寂しくもないんだ。自分の望む死に方と真摯に向き合ってくれる最も身近な他人。それは、萬谷さんが「どう逝きたいか」を考え尽くした末に選び取った、血の通った人間関係だった。

〝押しかけ記者〟にも、「同じ〝ゆき〟ちゃんねえ」と喜び、仲間の片隅に入れてくれた。取材後も、掲載紙を手渡しがてら遊びに行き、たまに電話で近況も話した。萬谷さんからの着信はなぜかいつも非通知なので、分かりやすい。私が一月に前任地の岐阜から東京へ転勤が決まったときには「会いやすくなったね」と喜んでくれた。

そんな「非通知設定」から電話がかかってきたのは、年が明け、二月も半ばを過ぎたころだった。「年賀状のお返事を書こう、書こうと思って日が経ってしまったの。だからもうお電話しようと思って」。萬谷さんの声は、以前よりも心なしか弱々しい。体が不自由でも、声にはいつも張りがあったはずなのに。

「実は……」。年明けにひどいインフルエンザにかかり、一カ月近く寝込んでしまったと言う。五カ月前の誕生日には「九十歳になってみると、できる限り長生きしたくなった」と話した声が、「次の誕生日まではもたないかもねえ」とつぶやく。

「またおいしいケーキを食べましょう」。月並みな励ましかできぬまま、本調子に戻らない萬谷さんとはまだ会えていない。足が不自由な萬谷さんは、電話の呼び出し音が鳴ってから受話器を取るまでにかなり時間がかかる。分かっていても、ご自宅に何度か電話して出られなかったときには、心配になって三国さんにも連絡し、慌てさせてしまった。

契約を交わしたわけではないけれど、自分もちょっぴり近い他人のつもりになっているのだと思う。また、非通知で電話がかかってくるのを心待ちにしている。

●取材の周辺●――坪井千隼

孤独死、旅立った後は

アスファルトを、じりじりと日差しが照り付ける。二〇一八年八月下旬、東京都江戸川区の木造アパート。同行させてもらった特殊清掃業者の人たちと一緒に手を合わせ、亡くなった方の冥福を祈った後、玄関の扉を開けた。初めての孤独死現場の取材は、自分の記者人生の中でも一、二を争う強烈な体験だった。

夏の暑い盛り、発見まで数カ月かかった遺体は、極度に腐敗が進んでいた。足を踏み入れた瞬間、あまりの凄惨な光景と腐敗臭に、目まいがして倒れそうになった。生き物としての本能が、「ここから離れろ」と、警告音を発しているかのようだった。

今回の取材では、いわゆる「孤独死」された六人の方を取材した。うち三人については、業者の方にお願いをし、実際に現場に立ち会った。

孤独死は、特に死後時間が経過して遺体の腐敗が進んだ場合、残された人たちを苦しめることが多い。遠方から駆けつけた親族は、ただでさえ親兄弟の死に気付けなかった自分を責める上に、落ち着いて故人に別れを告げることは難しくなる。

身寄りがないケースでも、近隣住民の住環境に与える影響は大きい。特殊清掃の多額の費用負担を強いられる大家は、店子が孤独死することを怖れ、一人暮らしの高齢者に家を貸さなくなってしまう。

日本では今後、孤独死が増え続けるのは間違いないだろう。核家族化と高齢化を背景に、単身高齢者世帯が増加。困ったことがあれば隣近所で助け合うような、地域社会のつながりは弱くなった。プライバシー意識の高まりで、新興住宅地やマンションでは、そもそも隣人がどういう人か知らない人が多い。必然、一人で自宅で亡くなり、発見まで時間がかかるケースが増えている。

孤独死を減らす取り組みも各地で進む。千葉県松戸市の常盤平団地など、自治会が中心となって一人暮らしの高齢者宅を見回ったり、地域の集まりを企画したりして、効果を上げるところも出てきている。

毎日決まった時間に朝刊を届ける新聞販売店は、住人の異変に気づきやすい。都市部を中心に、自治会などと連携して対応し効果を上げている。死後の発見を早めるだけではない。自宅で倒れている状態で見つかり、救急搬送して一命を取り留めたケースもある。ＩＴ技術を応用し、単身高齢者の健康状態を定期的にチェックしたり、毎日決まった時間に電話で安否確認するサービスも広まってきており、孤独死対策につながっている。

一方で、亡くなる本人にとっては、「どう死を迎えるか」は、生き方の問題、価値観の問題といえる。「最期ぐらい、好きに生きて、好きに死にたい」という考え方も理解できる。

本章「ひとりで逝く」で取り上げた名古屋市近郊の住宅団地では、高齢者の一人暮らしが増え、相次ぐ孤独死が問題になっていた。

一七年十月、八十六歳の独居男性が、居間のソファーで亡くなっているのが見つかった。死後三週間経っていた。親族はおらず、身元確認は町内の民生委員の女性が行った。男性のケースは典型的な孤独死。だが本人にとって、悔いが残る最期だったのかどうかは分からない。

男性は会社を定年後、妻と二人暮らしだった。妻は社交的な性格で、趣味の貼り絵作品などを贈ったりして、近所の人たちと交流を深めていた。反面男性は寡黙な性格。妻と死別した後、近所付き合いが途絶えた。

心配した隣家の住民が地域の交流会に誘っても、「他人と話すのは苦手だ」と断った。かといって、周囲の人とトラブルを起こすことはなく、あいさつをされれば、笑顔で返した。庭木の手入れが趣味で、亡くなる直前まで、一人でもくもくと松の枝の刈り込みや芝生の剪定を楽しんでいた。

元町内会長の男性は「死後三週間もの間、周囲が気づけなかったのはショックでした」と悔しがった。しかし一方で「彼は、自ら望んで孤独を選んだのかもしれないね」とも語った。

高齢になってから、新たな人間関係を構築するのは容易ではないのだろう。この男性の場合も、一人気ままに暮らし、愛する妻との思い出がつまった我が家で、納得のいく最期を迎えることができたのかもしれない。

一人や孤独が「不幸」と決まっているわけではない。煩わしい人間関係に気を使うぐらいなら、「一人で過ごす方がいい」、という人も少なくない。あえて周囲の人との交流を最小限にし、一人で静かに最期を迎えるのも、選択肢の一つだとは思う。

ただ、自分が亡くなり、この世との関わりが無くなった後も、自分の肉体が煙のように消え去るわけではない。たとえつながりが薄くとも、残された人たちの心には、少なからず波風を立てる。一人で死を迎えるにしても、自分が亡くなった後のことを想像し、「旅立ち方」を考えることも大切なのかもしれない。

8　人生を締めくくる準備――星野公平さん、がんで逝く

この章では、末期の胃がん宣告をされた星野公平さんの生前から亡くなった後までを追った。取材をお願いしたのが二〇一八年十月三日。断られることもあると覚悟して取材を申し込んだが、連載の企画趣旨に賛同してくれた星野さんからの返答は「全部、見てほしい」だった。

治療断念後、葬儀の段取りを進めた

左右に献花が並ぶ祭壇の中心に据えられた遺影が、故人の生真面目な人柄を表していた。

二〇一八年十月下旬、三重県桑名市の斎場で、星野公平さんの告別式が営まれた。六十九歳で逝った旧友に、東京から参列した佐藤敬文さん（72）が語りかけた。

「君との思い出の数は、おそらく友人の誰にも負けないでしょう。今夜は別れの杯を傾けます」

星野さんと佐藤さんは、製薬会社の同僚だった。星野さんが五十四歳で郷里に戻り、桑名の市議会議員へと転身した後も、付き合いを続けてきた。佐藤さんは弔辞で、二人が東京で単身赴任をしていた四十代のころ、居酒屋で愚痴をこぼし合ったり、政治談議に花を咲かせたりしたことを紹介した。

二人が最後に言葉を交わしたのは、この葬儀の二週間ほど前のことだった。

「久々に二人で飲みたいなあ」

電話を受けた佐藤さんが、病床の星野さんを訪ねた。ベッドから体を起こし、ストローでビールを吸う姿に、恰幅《かっぷく》の良かったかつての面影はなかった。「やせたな」と声をかけた佐藤さんに、星野さんは弱々しく笑って応じた。「サンマを食べたい。いや、大トロがいいな」

別れ際、佐藤さんはメモを残した。星野さんから「単身赴任時代の話は家族も知らない。葬式で話してほしい」と頼まれていた弔辞の文案だった。

星野さんは二〇一七年の夏、末期の胃がんと診断された。薬物治療も試みたが、一年ほどして治療を断念した。自宅で残された時間を過ごす中で、自らの葬儀の段取りを進めていた。

妻の律子さん（67）が、その計画を知ったのは二〇一八年

在りし日の星野公平さん。

九月のことだった。夫はすでに斎場を予約し、法名まで決めていた。「私たちに負担を掛けたくなかったのでしょう」と律子さんは振り返る。家族への配慮とともに、葬儀に込める夫の思いを感じたという。

家族や知人に、自分の一生を知ってほしい。死を意識した時、そんな心残りがあった星野さんは、四人の友人に弔辞を託した。いずれも、市議になる前の自分を知る仲間だ。星野さんから電話を受けて見舞いに訪れた佐藤さんも、そのうちの一人だった。名古屋大の学生時代、陸上部で競い合った仲だった愛知県北名古屋市の小林和正さん(70)も、星野さんから弔辞を依頼された。「俺もいつ死ぬかわからないから」と言って、星野さんの頼みを引き受けた。その時の星野さんの様子を小林さんはこう振り返る。

「かなり弱気な印象を受けました。でも着実に準備する姿勢が彼らしかったですね」

それから約一カ月後の十月二十七日、星野さんは息を引き取った。葬儀に参列した小林さんは「ウサギとカメで言えば、カメだった」という故人の姿を思い、弔辞を読み上げた。

「まったくの素人で陸上部に入ってきたあなたは、こつこつと練習を積み重ね、五千メートルで歴代の名大記録を塗り替えました」

喪主として最前列で聞いた長男の尚平さん(42)は、これを聞いて心を揺さぶられた。「努力で才能を開花させたんだ。かっこいいな」と思ったという。初めて知った父親の一面だった。

出棺時には、星野さんが自ら選んだBGM、今井美樹さんが歌ったヒット曲「PRIDE」が流れた。棺《ひつぎ》には、大学時代に出場した駅伝と市議選に使った二本のたすきが納められた。

運命を受け入れるまでの闘い

死期の迫るなか、星野さんは「人生の集大成になる」と葬儀の段取りを整えた。生前、記者には「すっきりした気持ち」と話していた。

だが、がんに侵された運命を受け入れるまでには、人知れぬ葛藤があった。

二〇一八年十月初旬、星野さんはがんの治療はあきらめ、症状を和らげるため、佐藤沙未医師(38)の訪問診療を受けていた。

この時点で葬儀や遺産相続の段取りは、ほぼ終えていた。星野さんは「あと一週間、もつかどうかわからない」と記者に覚悟を語っていたが、じつはこの一年前にがんの宣告を受けた時は、闘うつもりだった。

星野さんが体に異変を感じたのは二〇一七年七月ごろのことだった。当時、桑名市議として四期目に入っていた。食欲がなく、便に血が混じることもあった。三年ぶりに胃カメラの検査を受けたら、がんが見つかった。リンパ節にも転移していた。

がんの病期(ステージ)は4。末期で治療が難しいことを意味する告知だった。製薬会社に勤めていた星野さんは医療の知識もあったが、「がんは特別な病気ではない」と自らを奮い立たせた。
働きながら闘病した人の体験記を何冊も買い込んだ。市議の活動を続けながら、薬物治療を始めた。二週間ごとに抗がん剤を使い、入退院を繰り返した。二種類を試したが、年が明けても病状は改善しなかった。

「一月三十一日　左手先から関節までしびれ」「二月三日　頭が痛い」——。星野さんが付けていたノートには、走り書きのメモが残っている。八〇キロを超えていた体重も、七〇キロを割り込んでいた。

二月下旬、星野さんは大学時代の友人に電話で「抗がん剤でがんを小さくしてから、手術をするんだ」と伝えている。希望は、捨てていなかった。

「最後の選択」と頼ったのが、二〇一八年のノーベル医学生理学賞を受賞した京都大の本庶《ほんじょ》佑《たすく》特別教授らが開発した新薬「オプジーボ」だった。「効果が見込めない」と渋る医師を押し切り、七月から使い始めた。

それでも、不調は続いた。夏なのに寒けが治まらず、靴下を重ねた。病状を知る目安となる腫瘍マーカーの値も上がった。「期待したように回復せず、落ち込んでいました」。そばで見守ってきた妻の律子さんはそう振り返る。

オプジーボによる治療を続けていた九月の初め、律子さんは部屋の変化に気づいた。壁に張った月間カレンダーの一九年二月と三月の分がはがされていた。その二日後には、さらに二カ月分が消えて一八年十一月までとなっていた。

「そこまでの命、と思ったのかな」と律子さんは述懐する。その三週間後に星野さんは治療を断念し、佐藤医師の訪問診療を受けるようになっていた。当時のことで律子さんが忘れられないのは「やせちゃったなあ」と、入浴後の星野さんがつぶやいた姿だ。体重は五五・九キロに減っていた。

「もう天国へ行く」。そのころ、星野さんは律子さんにそう言った。生への執着を捨て、死を受け入れた星野さんには、やり残していることがあった。家族に思いを伝えるため、ある計画を温めていた。

家族で死に向き合う

二〇一八年十月八日の「体育の日」。星野さんの長男の尚平さん(42)と長女の前田亮子さん(41)は、家族と実家を訪れた。十二人の家族全員がそろったのは一週間ぶりのことだった。

末期の胃がんを患う星野さんは、外出が難しくなっていた。兄妹は父の病状を気遣い「休日はできるかぎり実家で過ごそう」と週末のたびに集まっていた。

父親にがんが見つかったとき尚平さんは「頭で理解しても、気持ちで受け入れられなかったですね」と当時を振り返る。ずっと背中を追ってきた父親が、やがて死を迎える末期のがんを患っているという現実が、やはりショックだった。治らないと悟った父が抗がん剤治療を断念した後も、「闘ってほしい」と思っていた。

一方、亮子さんは病気を知った直後、泣き崩れた。だが、病魔と闘い、治そうとしていた父を支えようと「私も頑張らないと」と、気持ちを奮い立たせ、同県鈴鹿市の自宅から実家に通った。

二人はもう一つ、同じ悩みを抱えていた。父の病状や、やがて死に至る現実を、子どもたちにどう伝えるか、という問題である。

尚平さんは小学五年と四年の息子に「大変な病気なんだ」とだけ伝え、詳しい説明をしなかった。代わりに毎朝、妻が作る野菜ジュースを隣の自宅から届けさせた。病気が進むと、「おじいちゃんとの時間を大切にするんだよ」とだけ言い添えた。

小学四年から乳児まで三男一女を育てる亮子さんは、絵本作家ヨシタケシンスケさんの『このあと　どうしちゃおう』（ブロンズ新社）など死を扱った絵本を読み聞かせた。年長の長男には「おじいちゃんは治らない病気なんだよ」と告げた。

「お母さんもそうなるの？」。聞き返す息子に「おばあちゃんになったら、そうなるかもね」と淡々と答えた。だが、内心では父の死期が迫る中、死をどう伝えたらいいか、焦っていた。

三家族が集まった「体育の日」の夕食が終わりかけたころ、星野さんがかすれた声で切り出した。「あれ、取ってくれないか」。妻の律子さんに仏壇から封筒を取ってもらい、孫たちに一通ずつ手渡した。

封筒の中には五百円玉が二枚、入っていた。表には、星野さんのひと言が添えてあった。尚平さんの次男には「すききらいをなくして大きくなろう」と書かれていた。野菜が苦手だったが、いつも残していたカレーライスのニンジンを、この日は平らげた。翌日からは星野さんの自宅に立ち寄るたび、「残さず食べたよ」と報告するようになった。

バスケットボールが好きな亮子さんの長男は、「文武両道で行こう」と書かれた封筒を、照れくさそうに受け取った。「あの日から、漢字ドリルを見違えるほどきれいに書くようになった」と亮子さんは驚いた。その封筒は今も、勉強机の透明マットに挟んである。

星野さんは、孫たちにメッセージを渡した四日後の十月十二日、「遺言」に込めた思いを記者に打ち明けた。「人は誰でも弱いところがあるでしょう。そこをがんばってほしいんだと、最後に伝えたかったんです」

子どもたちがどう受け止めたのか、亮子さんには本当のところは分からない。ただ「心に響いたと思う。感じたことを大切にしてほしい」と考えている。

家族に囲まれた星野さんはこの日、満足そうな表情を浮かべ、「僕も一口」とカレーをすすった。

その翌日、体調が急変した。旅立ちの時が近づいていた。

家族で食卓を囲んだ後、孫６人と妻に囲まれる星野公平さん。

死は悲しいけれど、幸せの真逆ではない

二〇一八年十月二十七日の朝、記者が星野さん宅を訪ねると、訪問看護師の山本真琴さん（42）が星野さんの上半身を湿ったタオルで拭き始めた。星野さんは介護ベッドに横たわり、あらわになった胸や腕に、筋肉はほとんどない。眼球は白く濁り、口も開いた状態で「ハー、ハッ」と口呼吸を続けている。寄り添っている妻の律子さんが「時々、止まるんです。今朝は、止まっている時間が長くて、驚いた。今は、穏やかな状態です」と教えてくれた。

「こんにちは」と記者が声をかけても、星野さんから返事はない。長男、長女の家族と食卓を囲んだ翌朝に倒れ、十日ほど前からは意識のない状態が続いていた。

律子さんがお湯に浸したタオルを絞り、山本さんに手渡した。あごや目元、額、耳の後ろを順にぬぐった。律子さんは「お腹がこんなにへこんじゃって。もう準備しているんだね、きっと」と話しながら、身体に保湿クリームを塗った。

「これだけ体力があるなら、頭も洗ってあげれば良かったかな」。孫が贈った星野さんの似顔絵が飾られた部屋で、山本さんがつぶやいた。律子さんは「あしたがあるさ」と気丈に応じ、「はい、一服しましょう。この一服が私の楽しみ」とコーヒーと柿を手に戻ってきた。

この日の午後、律子さんは「まだ生きてほしい」と願いながら、翌週分の食材や夫が使うおむつを買いに出た。自宅に戻り、車を止めた時、携帯電話が鳴った。

長男の尚平さんからだった。「父さんがおかしい。今すぐ戻って」。部屋に入ると、夫の顔は青白くなっていた。

「死んでるのか、生きてるのか、わからへん」。戸惑う尚平さんの横で、律子さんは落ち着いて言った。「息が止まったよ」。それから数十分後の午後六時四十一分、自宅で過ごす星野さんを診てきた佐藤沙未医師が死亡を確認した。

がんの告知から十三カ月。「もう少し一緒に」と願いながら、苦しむ姿も見てきた律子さんの胸には「楽になったね」という思いが先に浮かんだ。寂しさが強くなったのは、しばらくたってからのことだった。

尚平さんは亡くなった直後は「何も感じられなかった。死を受け止めていなかったのかもしれない」と振り返る。納棺の前、星野さんの孫にあたる自分の子どもが泣く姿を見て、死を実感し、涙があふれた。

そして、時間がたつにつれて、告知後の父と過ごした一年間を思うようになった。入院時は見舞いを欠かさず、退院後も毎日、顔を見せた。家族でバーベキューを楽しみ、泊まりがけの旅行もした。父はいつも、笑っていた。

「苦しそうな父の印象が薄らぎ、楽しかった姿が頭に浮かぶんです」。葬儀から二週間後、尚平さんは、そう話すようになっていた。

長女の亮子さんはその一年間を「父が作ってくれた幸せの貯金」だと表現する。星野さんとの思い出をたどることで、死別の悲しみを乗り越えようとしている。

亮子さんは助産師として、命の始まりに立ち会う日々を送ってきた。だからなのか、命の終わりである死には恐れがあった。

「死ぬのは怖くない？」と父に一度だけ、聞いたことがある。病床の父は「怖くない」と答えた。亮子さんは「本当は揺れていたと思います。でも最後まで笑おうと努めてくれました」と、父の姿に強さと優しさを感じ取っていた。

星野さんが亡くなった後のある日、宿題をしていた息子が、何気なく「おじいちゃん、消しゴムになって見守ってくれてるのかな」と言った。

その時、亮子さんは気がついた。「死は悲しいし、寂しいけど、幸せの真逆ではないですよね。その中には温かいもの、幸せなものもあります」

こうして長男と長女は、父との別れに区切りを付け、それぞれの生活に戻っていった。

だが、長年連れ添い、夫の生と死を見届けた律子さんの心は揺れ続けていた。それは、亡くなる一カ月前まで仕事を続けた星野さんに対する律子さんの複雑な思いが関係していたかもしれない。律子さんは、自分は夫を完全に理解できていたのだろうかと、自問自答していた。

孫たちが贈った星野さんの似顔絵。ベッドの近くに飾られていた。

夫の遺したつながりを大切に

二〇一八年九月、星野さんは胃がんでやせ細った体をスーツで覆い、頭にはニット帽をかぶって定例会の一般質問に立った。体を支えるように両手を机に置き、かすれがちな声で言葉をつなぐ姿を、律子さんはインターネット中継で見守っていた。

桑名駅周辺の再開発で市民の声を聞いているか。必要な人に社会保障が届いているか。画面の中で、力を注いできた問題を取り上げていた。

「どうしてそこまで、仕事をしないといけないの？」と律子さんは体調を心配せずにいられなかった。元看護師の律子さんは、夫が末期の胃がんと診断されたとき、病状を冷静に受け止めた。すでにがんの転移が進み、克服は難しいだろうと、星野さんが抗がん剤の治療を選んだ時点でそう考えていた。

それでも、夫の決断を尊重した。生活面でも夫を全面的に支えた。たとえば、食欲のわかない夫が「カニが食べたいな」とつぶやけば買いに走った。がんの痛みで眠れない時は、一晩中、付き合った。

その間も、星野さんは病を押して、訪ねてくる人たちの相談に応じていた。ベッドから弁護士を呼んで解決策を模索する姿は、まるで、仕事と一緒に死のうとしているようだった。「それはないよ」。それが妻としての本音だった。

闘病中、夫から「ありがとう」と言われた記憶は、律子さんにはない。ただ「一緒に墓に入ってくれるか」と聞かれたことはある。「もちろんでしょ」。そんなやりとりの後、星野さんは逝った。

市議会の一般質問の朝、自宅の前で。

夫婦で暮らした自宅で、一人で過ごす日々が始まった。「寝ている間に、夫が連れて行ってくれたらなあ」とよく思ったという。悲しみで気持ちがふさがる中で、悔いもあった。夫の仕事への熱意を、もっと理解できたのではないか、果たして夫婦として、支え合ってこられたのか――。そんな思いがひたひたと沸き上がってきたという。

そんな日々を過ごしているうちに、二〇一八年十一月下旬、忌明けの法要を迎えた。約三十人が集まった。夫がいなければ知り合うことのなかった人たちと会話を重ねる中で、律子さんは「今からでも、遅くないから、夫が遺してくれたつながりを大切にしたい」と気がついた。

その後、気持ちを整理しようと、律子さんが夫を看取った部屋を片付けていた時、棚に並ぶ酒瓶の後ろから寄せ書きが出てきた。四十年以上前の結婚式に出席した友人らの言葉が並んでいた。

「初心貫徹　おめでとう」の一文が、目に留まった。

数日後、この寄せ書きをした会社員時代の同僚が自宅を訪れ、意味を教えてくれた。星野さんは会社の寮で、当時、交際していた律子さんと結婚すると宣言していた。その言葉どおり一緒になった。だから「初心貫徹」だという。

「仲間にそう話していたなんて。うれしくなっちゃうじゃない」。初めて聞いた夫のエピソードだった。「これからも、夫を知る旅は続いていくんでしょうね」と律子さんは、静かに笑った。

星野さんとの生活は終わった。不満をぐっと我慢したこともあった。闘病ではやつれるほど悩んだ。「でも、最後は感謝ですよ」。律子さんは今、そう言えるようになった。

婚礼写真を手に夫と過ごした日々を振り返る。

●取材の周辺●――北島忠輔

死が映し出す風景

「メメント・モリ」という名を冠した連載の取材班に入ることになった時、アメリカ・アップル社の創業者スティーブ・ジョブズさんの伝記に書いてあったことを思い出した。「ハングリーであれ」と締めくくられた二〇〇五年のスタンフォード大学での有名なスピーチ。その一年半前にがん宣告を受けていたIT業界のパイオニアは、若者へのメッセージの中で死について語っていた。

「人生を左右する分かれ道を選ぶとき、一番頼りになるのは、いつかは死ぬ身だと知っていること。周囲の期待やプライド、ばつの悪い思いや失敗の恐怖など、ほとんどのことがすべて、死に直面するとどこかに行ってしまい、本当に大事なことだけが残る。人とは脆弱なものです。自分の心に従わない理由などありません」
（『スティーブ・ジョブズ』ウォルター・アイザックソン著、井口耕二訳、講談社＋α文庫）

伝記には「メメント・モリ」という章がある。その中で、著者は「古代ローマでは、凱旋した将軍がパレードする際、『メメント・モリ（死を忘れるなかれ）』とささやき続ける従者がその後ろに付き従っていたという。自分も死ぬ存在だといさめられれば、英雄も物事を正しく判断し、多少は控えめになるというわけだ」と書いている。ジョブズさんも「死を忘れるなかれ」と医師団に告げられたという。もっとも、妥協を許さないことで知られる起業家は、控えめになることなく、それまで以上の情熱で部下にげきを飛ばし、仕事を続けた。

ただ、彼が残した「墓場で一番の金持ちになっても意味はない。夜、ベッドにもぐりこんだ時、素晴らしいことを成し遂げたと自分に言えることが、何よりも意味のあることだ」という言葉からは、絶えず「死」を意識のうちに置いていたことがうかがえる。いや、だからこそ、妥協なく、「本当に大事なこと」を追求し続けることができたのだろう。

本書のもとになった中日新聞の連載「メメント・モリ」には、ジョブズさんのような、ひとかどの人物は登場しない。取材の対象となったのは、戦後の経済成長期を経て、バブル崩壊、そして格差社会へと様変わりした日本で、時代の波にまみれながら生きてきた市井の人たちばかりだ。人知れず「孤独死」した男性、姉に迷惑をかけまいと緩和ケア病棟での最期を望んだ女性、最期は自宅で迎えたいと伊勢湾の小島に戻った漁師……。

地元の会社勤めだった夫の延命措置をしないよう医師に頼み、最期を看取った女性は当初、胸に去来する後悔が自分の言葉として新聞に載ることをためらったが、「夫の供養になれば」と、パート勤めの合間に取材に応じてくれた。インタビューを繰り返す中で、夫と死別した悲しみや延命措置をしなかったことへの悔いを追体験し、涙を流しながら胸の内を明かすこともあった。記事の掲載後は、「仏壇に向かって何度も記事を読み上げました」と話してくれた。


連載を通して感じたのは、死が映し出す縁のかたちの変化だ。二十世紀の日本は、結婚や友人関係、職場や地域活動などで、他者と縁を結ぶ機会が多かった。その時代を生きた人は、ひとたび誰かが亡くなると、ふだんは意識することのなかった縁が葬儀という儀式を通して可視化され、二度と会えないことを認識し、「生きている間に伝えておきたかった」という具合に悔いや悲しみが表出する。翻って、核家族化が進み、非婚者が増え、職場や地域での人間関係も少なくなった現代。葬儀は家族葬や告別式だけの一日葬などが主流となり、孤独死や引き取り手のない遺骨が増えているその現状からは、縁の希薄さが浮かび上がる。

しかし、自分の始末を家族や地域にまかせておけば安心という時代ではなくなったからこそ、死を自分ごととして切実に考えざるを得なくなったのではないか、とも思う。実際、取材を通して「どのように死んでいくか」、「どのように見送るか」について、かつてなく関心が高まっている、と実感した。

死は幸福の対極にあるととらえられがちだ。就職、結婚、新居の購入、子どもの成長……。そのような人生の一つ一つの出来事こそが幸せであり、死はそれらを奪うものとして認識されてきた。それが、これまで人々の関心があまり死に向かわず、反対に遠ざけられてきた理由の一つといえるだろう。

だが、国民の二割近くを七十五歳以上が占める超高齢化社会、年間百三十万人が亡くなるいま、死はありふれたものになった。前述の縁の希薄化もあいまって、考えたくなくても考えないわけにはいかなくなったのである。俳優の樹木希林さんが老いや病、そして死について自然体で語った本が二〇一九年のベストセラーとなったのも、そのような人々の事情や気分の反映のように感じる。

第八章「人生を締めくくる準備」で、亡くなった星野公平さんの長女、前田亮子さんが、「死は悲しいし、寂しいけど、幸せの真逆ではない。その中には温かいものもある」と話していたのが強く印象に残っている。死は不幸の象徴ではなく、前向きにとらえ、乗り越えようという姿がダイレクトに伝わってくるからだ。

人がどのように死を迎えるかが「幸せのバロメーター」とまでいわれる時代。死が映し出す風景を追う取材で出合った言葉の一つ一つは、同時に「生」がいかにかけがえのないものであるかを教えてくれている。

9 「終」を支える人々

旅立つ人がいれば、見送る人がいる。多死社会を迎えても、在宅医療や高齢者施設の態勢は追い付かない。「自分らしい死に方」を望む声が高まる中、人生の「終《つい》」を支える人々の姿を追った。

訪問看護師――旅立つ舞台を演出する

小雨が降った二〇一八年十一月上旬の昼下がり。肺がん末期の男性（59）が、前年まで勤めていた愛知県蒲郡市の生コンクリート会社を訪れた。「おーっ」と車いすを囲む仲間たちが代わる代わる手を握ると、こわばっていた男性の表情が緩んだ。死を目前にした命が輝いた瞬間だった。「うれしいね」。車いすを押す妻の声に、男性は笑顔でうなずいた。「いい顔、してるね」。付き添った看護師の小森恵太さん（39）は、つい数日前との違いに驚いた。

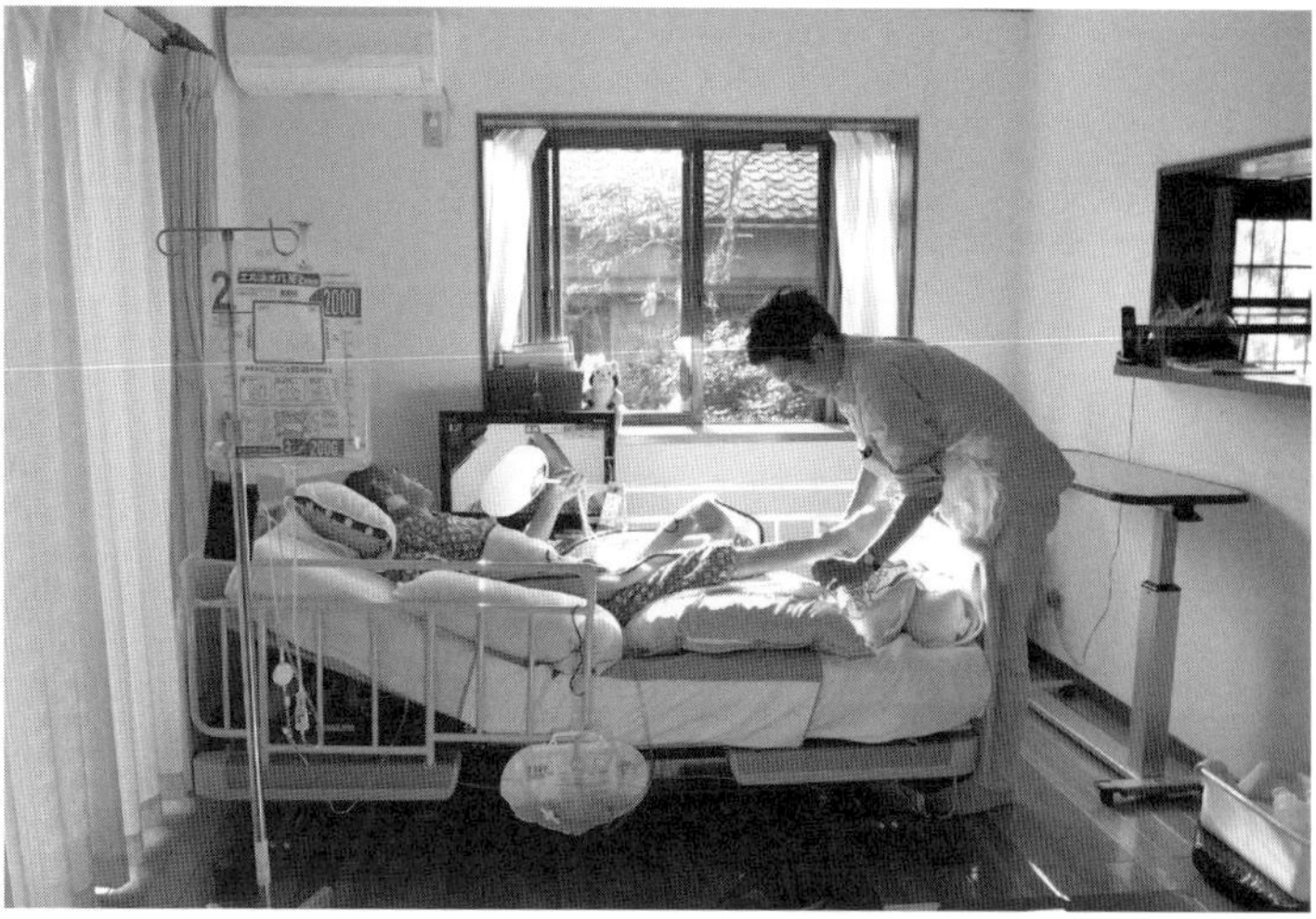

肺がん末期の男性の自宅で、足をマッサージする看護師の小森恵太さん＝愛知県幸田町で。

男性のがんは脊椎にも転移し、年は越せないとみられていた。「住み慣れた家に帰りたい」と十月に退院し、小森さんが営む訪問看護ステーション「つむぐ」のサービスを受けながら、残された時間を同県幸田町の自宅で過ごしていた。

看護師は毎日訪れ、体温や栄養状態を確認する。がんによる胸や背中の痛みは薬で抑え、治療はしない。妻や娘が体を拭いたり、痰を吸ったりしてくれる。だが自ら望んだ生活の中で、男性が言葉を発することはほとんどなかった。

未来がない。自分のことを自分でできない。友人とのつながりがない。「男性は、生きているという実感を得られる三本柱が折れて、気持ちが沈みきっていたんです」。小森さんがそう感じていた頃、男性の仲間から「ミキサー車を見に来ないか」と誘いがあった。

男性は行きたいそぶりを見せたため、すぐに小森さんは横になったまま移動できる車いすを手配し、外出を後押しした。「心残りのないように生き抜き、旅立つ舞台を演出するのが、私の仕事ですから」と小森さんは淡々と話す。

十年前、小森さんは救命の現場にいた。「死は敗北」とみなされる、いわば正反対の職場だった。本人の意に反して延命措置を施すことも、しばしばあった。

搬送されてきた老人は「何で病院に連れてきたんだ」と叫んでいた。ある遺族は「最期は家で過ごさせてあげたかった」と悔いた。小森さんは、そんな姿を何度も見た。「病院では、本人の望みを果たせない」と二〇一七年四月、「つむぐ」を立ち上げた。それ以来、在宅で看取った人数は二十人を超える。

一年間に百三十万人以上が亡くなる多死社会に入り、公益財団法人の調査では、自宅での最期を望む人は七割超に及ぶ。政府も在宅医療を推し進めるが、実際に自宅で最期を迎えた人は一割強にとどまる。

在宅での看取りを行う医療機関が足りず、多くの人が病院で亡くなっていく。家で死を迎えたい患者や家族を支えているのは、小森さんのような訪問看護師だ。

仲間との再会を楽しんだ六日後の朝、妻と二人の娘に見守られ、男性は息を引き取った。直後に駆け付けた小森さんは、ぬくもりの残る手を握りながら、「ありがとう」と言葉をかけた。

生コン会社を訪れた日を境に、男性は家族との会話が増えた。「うるさいのが、やっぱりいいな」。そう言い残して逝った男性と過ごした時間を、妻は「楽しかったですね。私たちへの贈り物でした」と振り返る。

仲間との再会や、家族とのにぎやかな会話。日常の延長線上にある一日一日の積み重ねが納得の最期につながる。男性が残してくれたメッセージを、小森さんはかみしめている。

column 寝たきりの入院から帰宅を決断

「自宅で最期を迎えたい」と望み、医師や看護師の訪問医療を受けながら住み慣れた家で過ごす患者の中には、入院中とは正反対の生き生きした顔を見せたり、食欲を取り戻したりする人もいる。

二年前に胃がんを患い、後に肺炎を引き起こした愛知県岡崎市の男性（80）もそうだった。病院では寝たきりの日々で、やがて体が弱り、表情も失っていった。

妻は「話し掛けても反応がなく、目も開けられず、もうだめかな、と思った」と振り返る。入院して五カ月が過ぎた今年九月、寝たきりの状態から良くなることはないと医師から言われていたが、「このまま人生を終えるのはかわいそう」と男性を自宅に連れ帰る決意をした。

台所からはカレーライスの匂いが漂い、テレビの音声や家族の会話が聞こえる日常に戻り、膝に飛び乗ってきた愛犬を抱いた時、男性は目に涙を浮かべていた。

病院では肺炎の再発を防ぐため、口からの食事は認められなかった。だが自宅では「何か食べたい」と訴え、訪問看護師とともに水やゼリーをのみ込む訓練を始めた。

二〇一八年十一月には、毎年恒例のリンゴ狩りに家族で出かけた。病院の医師から「死を覚悟して食べて」と言われたリンゴを味わい、「次は京都に行きたい」と笑顔を見せた。その姿は「寝たきりで、無表情だったのに、ここまで元気になるとは」と家族を驚かせた。

老年医学に詳しいふくろうクリニック等々力（東京）の山口潔院長（43）によると、病院では治療を優先するため、再び肺炎を起こさないように絶食させることが多い。一方、在宅では「リスクがあっても本人や家族の意思を尊重できる。家庭ならではの刺激もあり、しゃきっとすることが多い」と説明する。

妻は「このまま衰えていくのか、奇跡的に回復するのかは、わからない」と話す。ただ、歯磨きや薬の服用を手伝ってあげた時に男性が「幸せだな」とつぶやいたのは、本心からだったと思う。病院では家族に死別を覚悟させた男性は、家庭の空気に包まれて生きている。

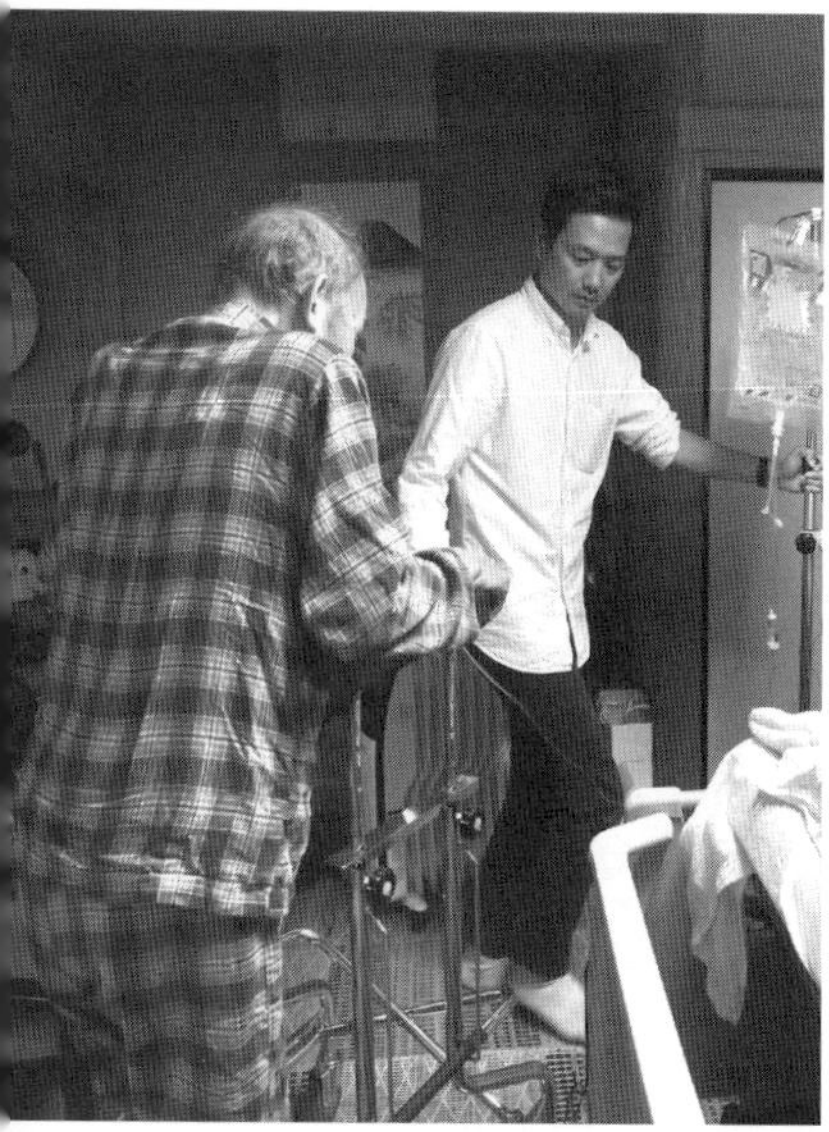

自宅に戻り、訪問看護師に支えられて歩行訓練を始めた男性＝愛知県岡崎市で。

介護職員――逝く人と向き合う

脈を取ろうと手を伸ばした女性＝当時（89）＝の首元はひやりとしていた。岐阜県土岐市のケアハウス「ドリーム陶都」で働く介護職員の山口龍馬《たつま》さん（22）は二〇一六年の夏、初めて人の死に直面した。

夜勤で巡回した時のことだった。ベッドで横たわる女性は、眠っているように見えた。リーダーに連絡し、医師の到着を待つ間に何度も確かめた。「三十分前は脈があったのに……」。就職して一年余り、自分が世話をしてきた女性が死亡したという現実をのみ込めなかった。

その年の五月、女性は末期の大腸がんと診断されていた。医師は「体力的に厳しい」と手術を勧めなかった。認知症だった女性に代わり、告知を受けた長男（68）は「ここで看取ってほしい」と申し出た。

施設では〇四年の開設以来、看取りを前提とした介護の実績がなかった。介護職員の多くは二十代。山口さんも「死と向き合うのは怖い」と感じつつ、最期まで世話をできるのはいいことだと覚悟を決めた。

だが、認知症の女性とのやりとりには戸惑った。女性は時折、苦しげな様子を見せたが、症状を聞くと黙り込んだ。アイスクリームやプリンを二口、三口と食べることもあれば、別の日には「嫌だ」と拒んだ。

悩んでいるうちに、別れの日がきた。覚悟していたはずなのに、山口さんはこの看取りのあと、動揺が一カ月近く続いたという。「亡くなった時の姿が目に焼き付き、眠っているほかの入所者が息をしていないように見えてしまったこともありました」。

介護施設で迎える最期は、国が推進する在宅での看取りに位置づけられる。だが担い手となる職員は「賃金が低く、身体的にも精神的にもきつい」といわれ、短期間でやめる人が多い。

公益財団法人介護労働安定センターの昨年度の調査では、離職者の勤続年数は「一年未満」が38・8％、「一年以上三年未満」が26・4％に上った。厚生労働省の推計によると、すべての団塊世代が七十五歳以上となる二五年度に介護職員が三十四万人も不足する恐れがある。

山口さんも「何度もやめようと思ったんです」と打ち明ける。朝の体操に始まり、食事とトイレ、入浴の介助に追われる毎日。「目の前のことをこなすのに精いっぱいでした」。一緒に就職した男性は音を上げて、職場を去った。

看取りを経験した山口さんには「会話が浅く、好きなことをさせてあげられなかった」との悔いがある。だから、今は「もっとていねいに話を聞こう」と心がける。そうすると、しだいに入所者の違う姿が見えてくるようになった。

病気がちの女性は「こう見えても段ボール工場で働いていたのよ」と思い出話をしてくれた。

「音楽を教えていた」という認知症の男性をピアノの前に連れていくと、唱歌を暗譜で奏でてみせた。「その人の人生に、少しだけ近づけた気がしました」と山口さんは言う。

二〇一八年、介護の仕事に就いて迎えた四度目の秋。施設の庭先で、車いすの女性（96）に手を添え、笑顔で話す山口さんの姿があった。「今はこの仕事が好きだと素直に言えます」。介護福祉士の資格を意識し始めた若者の横顔は、一年前より大人びて見えた。

ホームホスピス――自然な死の受け皿に

窓ガラスから日差しが入る民家の台所に包丁の音が響く。リビングからは、会話を楽しむ人の声がする。愛知県みよし市の一般社団法人「みよしの家」が運営するホームホスピスは、二〇一七年十一月に八十七歳で亡くなった女性の「終のすみか」となった。

その六畳ほどの部屋で女性を看取った長女（60）は「病院も、施設も、自宅も無理。母の『最期の場所』を探す中で選んだのが、ここだった」と振り返る。

女性は腸管が細くなり、食事が取れなくなる病を患っていた。刈谷市の特別養護老人ホーム（特養）に入っていた二〇一七年三月、嘔吐《おうと》を繰り返して入院した。認知症もあり、点滴やおむつ交換のたびに叫び、抵抗した。病院の生活におびえる姿を見るのが、長女はつらかった。

その年の秋には、医師から「これ以上の点滴は難しい」と告げられた。だが入所している特養では看取りをしていない。だからといって自宅に連れ帰り、看取ることは考えられなかった。長女は言う。「認知症の初期は一緒に過ごせましたが、しだいに症状が進むと母は混乱し、私も疲れ果ててしまいました。自宅に戻っても穏やかに過ごせないし、まして看取ることなどとてもできないと思ったんです」

そのような不安を抱えていた長女は「みよしの家」の存在を知人から聞いて見学していた。「自宅のように最期まで過ごせる」と感じ、「母の最期はここで」と決めていたという。

医師と話したあと長女は、病院を出たその足で、みよしの家に行って入所を決めた。

入所後は母の部屋に毎日のように通い、ベッド脇から語りかけた。小さいころに家族で出かけた旅行のこと。母が縫ってくれた洋服のこと。母娘の時間を過ごすことができた。

しかし、食事も点滴もできず、死を待つのみの姿を見るのはつらかった。戸惑う長女に、代表の久野雅子さん（58）が声をかけた。「自然に迎える最期は、とても静かで、穏やかなんですよ」

入居から十二日後の朝、女性は息を引き取った。最期の瞬間を、長女は久野さんらと見守った。「落ち着いた場所で、逝かせてあげられました」。悲しみの中に、安堵《あんど》感が広がった。

ホームホスピスは、法律で定められた施設ではない。入居の条件はなく、四〜五人が自由に生活する。みよしの家は二〇一五年の開所以来、十六人が暮らし、五人が亡くなった。

その中には、無類の酒好きという男性もいた。息子が「施設ではルールが厳しくて飲めないから」と男性の入居を希望した。「その親子はもともと仲が悪かったんです。酔っぱらって言うことをきかないし、父を殺すか、自分が死ぬか、という感じでした」。そんな切羽詰まった家庭の受け皿にもなっている。

全国初のホームホスピスが宮崎市に開所したのは二〇〇四年。それから二〇一九年に十二月までに五十七カ所へ広がった。ただ、全国ホームホスピス協会理事長の市原美穂さん(71)は「必要としている人は、まだたくさんいます」と語る。

財政運営も厳しい。みよしの家は二〇一九年、利用料を月十八万五千円から二十五万円に値上げした。「利用料が収入の柱なのです。定員が少人数なのでやむを得ません」と久野さんは言う。

「みよしの家」の久野雅子さん。

「死に場所」に困る人々を、民間の努力が支えている。国は在宅での看取りを推進するが、ホームホスピスへの補助はない。厚生労働省に取材すると「所管する部局がない」との説明だった。厚労省の審議会で示された推計によると、年間死者数が百六十万人に及ぶ二〇三〇年、約四十七万人を看取る場所がないという。

interview

全国ホームホスピス協会理事長 市原美穂さんに聞く

看取りは生活の延長線上に

病気や障害があっても、自宅のような雰囲気の中で最期まで過ごせる「ホームホスピス」が、全国で少しずつ広がっている。一般社団法人「全国ホームホスピス協会」の市原美穂理事長（71）に、その意義や今後の課題を聞いた。

住み慣れた地域にある民家で、五人ほどが必要な看護や介護のケアを受けながら自宅のように生活する。そんな場所、仕組みがホームホスピスです。

宮崎市で日本初の「かあさんの家」を二〇〇四年に設立しました。当時は「病院から在宅へ」という掛け声のもと、国が高齢者医療の重点を転換させ始めた時期でした。

しかし実際には「退院して、と言われたが、どこに行けばいいのか」「自宅で親を看取れるか不安だ」という声が出ました。それなら、自宅でも病院でも施設でもない「自宅のような場所」をつくろうと考え、民家を借りて始めました。人件費が足りず、自分の貯金から持ち出すなど苦労もありました。

老人ホームなど制度に定められた施設にしなかった理由は、年齢や病気、要介護度など条件があるから。条件に合わない人は利用できなくなってしまう。

「ホームホスピスは最期を迎えるための看取りの場」と思っている人は多い。ですが、私たちはそう考えていません。看取りは生活の延長線上にあります。利用者が最期まで人生を全うし、家族も悔いなく看取れる時間と場所を提供するのが私たちの役割です。

「かあさんの家」を見学に来た人たちが、自分の地域でホームホスピスを始め、全国に広まっています。私たちの理念とは異なる施設が「ホームホスピス」を名乗ることも起きたため、二〇一三年に商標登録しました。必要な研修を受けるなどした上で名称を使ってもらっています。一九年十二月一日の時点で、全国各地の五十七カ所に広がっています。

ホームホスピスはどの公的制度にも入りません。制度化されると、個々への柔軟な対応が難しくなります。制度の枠を超えたところで、どう活動を展開していくかが、今後の課題です。

▼いちはら・みほ　1947年、宮崎県生まれ。夫が開業した医院で事務長として働く。米国で在宅ホスピスを視察した後、2002年にNPO法人「ホームホスピス宮崎」の理事長に就任し、04年に「かあさんの家」を開設。15年には一般社団法人「全国ホームホスピス協会」を立ち上げ、理事長に就いた。著書に『ホームホスピス「かあさんの家」のつくり方』(木星舎)など。

派遣僧侶——ネットで新たな縁

わが家の菩提寺《ぼだいじ》が分からない。墓もなく、宗派も聞いたことがない。二〇一七年十一月に父親を亡くした愛知県知立市の五十代の男性は、途方に暮れた。「葬儀はどうしますか」と看護師に尋ねられ、男性は病院の片隅で、スマートフォンに「葬儀」と打ち込んで検索した。一番上に表示された葬儀仲介業者に電話をした。「父が亡くなったんですが」。十分後に折り返し電話があり、近くの葬儀場と僧侶を手配したと伝えられた。

葬儀は参列者十人ほどの家族葬だった。派遣されてきた名古屋市南区にある永勝寺の川北信紹住職（52）がお経を上げた。控室では、初対面の遺族に葬儀の意味や仏教の教えをていねいに説いた。

「死者を送り出すだけでなく、故人と向き合い、自分もやがて同じ道をたどることを学ぶのです」

川北住職が仲介業者に登録したのは、その前月のことだった。勧誘を受け、「うちの寺の若い僧が経験を積む機会になる」と引き受けた。派遣先は一年で八十件を超え、「こんなに需要があるとは」と驚く。

葬儀関連サイトを営む「鎌倉新書」が二〇一七年、葬儀形式の割合を調べたところ、家族葬は

38％で二年前から7ポイント増えた。告別式だけの一日葬、告別式もせずに遺体を荼毘《だび》に付す直葬の合計は一割近くを占めた。

葬儀の簡素化が進むなか、僧侶の派遣は瞬く間に広がった。布施の金額を明示したわかりやすさと、インターネットで頼める手軽さが特徴だ。

名古屋駅近くに事務所を構える葬儀仲介業者「プロ」の場合、布施は通夜と葬儀の読経に戒名が付いて十二万円と設定している。古田治社長（62）は「これまでの相場の半額以下」と話す。一年間に手配する葬儀と法要は四千件近くに上る。僧侶を登録する寺院は全国で約七百件を数える。

東京で単身生活を始めて十年になる男性僧侶（43）も、インターネットを介した「派遣僧侶」の一人だ。実家は関西で六百年以上続く古刹《こさつ》だが、過疎化などで檀家《だんか》は四十戸を下回る。「もう檀家頼みでは寺を守れない」と、住宅街にある古いビルの一室を拠点に、仲介業者からの依頼を年に百件ほどこなす。

仏教界からの批判は根強い。二〇一六年には、ネット通販大手アマゾンに出品された僧侶を派遣する「お坊さん便」を巡り、全日本仏教会が反発した。「宗教行為は商品ではない」と販売中止を求めたこともあった。

寺離れが進み、葬儀はネットで注文する時代に、永勝寺の川北住職は「むしろ、新たな縁を結ぶチャンスだ」とみる。

一年前に父親を亡くした知立市の男性も、ネットで葬儀を注文したのを契機に仏壇の購入や法事の相談をするようになった。先月には永勝寺で法要を営み、父親の遺骨を納めた。「一区切りついた。手探りだったが、正解だったかな」と話す。

二〇一八年十月、年に一度、永勝寺で営まれる親鸞聖人の遺徳をたたえる報恩講には百五十人以上が参列した。代々の門徒に交じり、初めて顔を見せた人たちの姿もあった。

他者の死を悼む機会が減りつつあるなかで、川北住職は考える。「死が遠ざかっているからこそ、葬儀や法要が持つ意味はより大きくなっているのではないでしょうか」

---

column 変わる葬儀

二〇一八年十一月中旬、愛知県豊田市の葬儀会館の控室で、通夜の前に故人の身支度を調える納棺の儀が営まれていた。葬祭ディレクターの水野祐太さん（31）が「亡くなった人に何かをしてあげるため、残されたわずかな場です」と遺族に語りかけた。

水野さんの手ほどきで、二人一組になった遺族が布団に横たわる故人の手足に白い足袋や手甲を着けていった。「息を合わせて、支えてあげてください」。着替えを済ませた遺体を、全員で抱えて棺に納めた。保存用のドライアイスを詰め、ふたを閉じる直前、遺族から「おつかれさん」、「がんばったね」と故人をねぎらう言葉がかけられて、三十分ほどの儀式は終わった。

水野さんが勤める同市の葬儀会社「フューネ」の三浦直樹社長（43）は「故人の体に触れることで死を感じ取り、自らの生を思う。葬儀以上に大切な別れの儀式とも言える」と納棺の意義を話す。二〇〇八年公開の映画「おくりびと」で脚光を浴びたが、最近では「効率や安さを重視し、外注や省略するケースが増えてきた」という現実もある。

多死社会を迎え、葬祭業界は変化の波にさらされている。需要の増加を見込んだ流通大手やIT企業などの異業種が相次いで参入した。通夜を省いた一日葬や、告別式を行わず病院から火葬場に直接移動して荼毘に付す直葬など、簡素で低価格の葬儀を選ぶ人が増えている。

一方で、海洋散骨や遺灰を風船で空に飛ばすバルーン葬など、伝統や宗教にとらわれない葬儀が営まれるケースも出てきた。三浦さんは「時代によって弔いのかたちは変わる」と話す。ただ同時に「遺体の尊厳が失われれば、葬式はただの遺体処理に陥る」との危機感もある。

水野さんは六年前、アルバイト生活から一念発起して葬祭業界に飛び込み、三浦さんのもとで働き始めた。「高齢社会の中で将来性があると、ぼんやりながら考えていた」と言う。

仕事を始めて間もないころ、病院で亡くなった直後の遺体に触れて、驚いた。動かないし、言葉も発しない。「でも、柔らかく、温かかった」。それ以来、生きている人と同じように接するよう心がけている。「葬儀のあり方は変わっても、遺体と向き合う気持ちは同じように持ち続けたい」。それが故人の旅立ちを支える「おくりびと」の覚悟だと、水野さんは考えている。

臨床宗教師――本音聞き、心を癒やす

二〇一八年一月、死期の迫った患者らが医療を受けながら暮らす「アミターバ」（岐阜県大垣市）の喫茶室に、入浴を終えた本木亨さん＝当時（85）＝が姿を見せた。

「風呂上がりに紅茶でも飲めると最高なんだけどなあ」

腎臓病を患っていた本木さんは、水分の摂取を制限されていた。人工透析による延命を拒み、残された時間は限られていた。カウンター越しに聞いていた臨床宗教師の隠一哉《なばりはじめ》さん（42）は「いずれ死ぬとわかっていても、死にたくない。生きたいから、我慢している」と推し量った。

死を目前とした人から本音を引き出し、心の痛みや苦しみを和らげるのが臨床宗教師の役目だ。隠さんは看護師に掛け合い、「五十ミリリットルなら飲んでもいい」と許可を得た。小さなカップに紅茶を注ぐと、本木さんは「なみなみ入っているように見えるね」と、うれしそうに口に含んだ。

約一カ月後、自室を訪ねてきた隠さんに、本木さんが「飲めないのがつらい。もう我慢できませんよ」と声を荒らげた。隠さんはただ、「そうですよね。我慢できませんよね」と聞いていた。本木さんは黙り込んだ後、再び口を開いた。「仕方がないですよね。こうなってみて、健康が一

番幸せだと心から思いますよ」

感情をはき出すことで、現実を受け入れる心の準備ができる。隠さんは、本木さんの言葉から、死を迎える覚悟を感じ取った。

それから三週間ほどして、本木さんは逝った。長女の吉村幸子さん（57）は「家族にも気を使って弱音を言わない人でした。話を聞いてもらえて、与えられた命を全うできた」と振り返る。

死を間近にした人の心の痛みは、「スピリチュアル・ペイン」といわれる。世界保健機関（WHO）は一九九〇年、肉体的な痛みなどと並ぶ苦痛の一つに位置づけた。欧米では病院や軍隊などにいる「チャプレン」と呼ばれる聖職者が、心のケアを担う。

だが、日本での取り組みは緒に就いたばかりだ。東日本大震災を契機に、宗教者や医師らが中心になり、東北大で臨床宗教師の養成が始まった。上智大や愛知学院大など各地に広がり、宗教・宗派を超えた百五十九人が一般社団法人日本臨床宗教師会から認定を受けている。

「医療や介護だけでは解決できない痛みに寄り添えないか」。自身も僧籍を持つ沼口諭医師（57）が、二〇一五年にアミターバを開設した。隠さんら三人が患者らの「話し相手」になっている。

隠さんは週に三日、アミターバの喫茶室に通う。二〇一八年十一月中旬には、気になっていた患者の部屋に足を運んだ。

九年前の交通事故で身体の自由が利かず、胃に通したチューブから栄養を取る大橋正次さん

カウンター越しに男性の話に耳を傾ける臨床宗教師の隠一哉さん。

（72）がベッドに横たわっていた。隠さんの姿を見ると、かすれた声で訴えた。「見舞いに来てくれる家族に何もしてあげられなくて……。生きている価値が見つからないんです」

繰り返される自問に、隠さんは何度もうなずいた。「家族を気遣うあなたの姿を見たお孫さんは、人にやさしくなれると思いますよ」。安心した表情を見せた大橋さんがつぶやいた。「また、本音が出てしまいましたね」

column 患者の本音をネットで共有

在宅医療や介護の従事者らが、死期の迫った患者の状態をＩＣＴ（情報通信技術）を使って共有する取り組みが進んでいる。医療情報や患者の本音を把握し、「自分らしい最期」に向けた支援につなげる狙いだ。

「痛み止め増量です」「孫が来ると聞いて、うれしそうにしています」「歩けるようになりたい」。インターネット上で情報を共有するシステム「ナラティブブック秋田」には、医師や看護師、薬剤師、介護職に加え、患者本人や家族が発信する文言が並ぶ。

このシステムは、秋田県の由利本荘医師会が二〇一五年に導入した。ナラティブは英語で「物語」の意味で、医療情報に加え、患者の日常生活やこれまでの人生、死生観などを、物語として記録し、共有することが最大の特徴だ。

タブレット端末などから専用ページに書き込んだり、閲覧したりできる仕組みで、家族が思い出の写真や励ましの言葉を投稿することもできる。由利本荘市と、にかほ市の計六十五の施設が利用する。

ICTを利用した情報共有の例はこれまでにもあった。ただ、同医師会の伊藤伸一副会長（61）によると、医療関係者の間で行うのがほとんどで患者本人が書き込む苦悩や思いを共有する例はなかった。伊藤さんは「医療情報だけでは、本当の姿は見えない。患者の人生や死生観を知ることで、終末期にどういう医療を受けたいかを知る手掛かりになる」と話す。患者にも「面と向かっては言いにくいこともつぶやける」などと好評で、県内外へ活用を呼び掛ける方針だ。

10 「終幕の地」はどこに

どこで、どのように人生を終えたいか――。その問いへの答えは、人それぞれの死生観を映し出す。いずれは直面する自らの最期。「終幕の地」を巡る現実を追う。

家ではなく緩和ケア病棟で――家族への気遣い

カーテンが閉め切られ、しんと静まり返った病室のベッドに、目を閉じた女性（68）が横たわる。「ハァー、ハァー」。かすかに聞こえる呼吸音が途絶えがちになっていく。大きく一度、息をしたが、次の呼吸が続かない。二十秒、三十秒……。

「平成最後の元旦」となった二〇一九年一月一日。南生協病院（名古屋市緑区）の緩和ケア病棟で、姉の細川裕子さん（80）が女性の胸をさすった。「息して。いつまで止めてるの。聞こえるかい？」。女性が二回だけ、浅く息を吸い、はき出した。それを最後に、呼吸は止まった。

看護師が首に手を当てた。「お別れされたようですね」

細川さんは「ありがとう。よく頑張ったね」と妹の手を取った。弔いの意味を込めて両手をおなかの上で組み合わせたが、力なく崩れた。

この二週間前、女性は死への思いを記者に話す予定だった。だが、病状が悪化したため、代わりに「私のかけら。何かの役に立てば、幸せ」とノートを託していた。ノートには「最期の場所」と決めた病棟で、迫り来る死を受け入れる心境がつづられていた。

「私は、宇宙の一部を切り取って閉じ込めた器だった。この宇宙の物質だった。今、私は目を閉じて、世界を閉じよう。無限の一部を切り取った器であったことを喜びとしよう」

女性は十年以上、食道がんや咽頭がんと闘ってきた。二〇一七年一月には、肺やリンパ節への転移が判明した。抗がん剤治療では吐き気や頭痛に苦しみ、話すこともままならなくなった。

「こんなの、生きているって言わない。もう治療をしない」

同年四月、一緒に暮らしていた細川さんに宣言した。その代わりに、緩和ケア病棟に入ることを選んだ。

緩和ケア病棟は、治療のための病棟とは違い、延命はせず、医師や看護師のケアを受けながら、人の出入りが自由な個室で家庭のように過ごせる施設だ。女性はボランティアが入れたコーヒーを飲み、雑談を楽しみ、薬で苦痛を和らげた。リラックスできる環境で過ごす、最後の日々。不安や愚痴を言わない妹を細川さんは「強い人」と思った。

だが、女性が記者に手渡したノートには、死を前にして、唯一の家族にも打ち明けなかった揺れる胸中がしたためられていた。昨年九月には「チッ息の恐怖で、眠られない」。十月に「世界を閉じよう」と記した後も、「覚悟は、きまらんのかなあ」と書いていた。

十二月下旬、女性の容体が急変した。日ごとに意識が遠のくなか、細川さんに何度も「ありがとう」と繰り返した末に、息を引き取った。

自ら選んだ終幕の場所だった。その理由には、「人間らしく死にたい」という女性の思いと、姉である自分への気遣いがあったと細川さんは考えている。

女性は一時、自宅での最期を希望したことがあった。細川さんも「住み慣れた部屋でもいいんだよ」と聞き入れた。だが「最後には動けなくなる。姉ちゃんには見られないよ」と足の不自由な細川さんを思いやった。それが女性の生き方であり、死に方でもあった。

「姉として、治療をやめることにためらいもありました」と細川さんは振り返る。ノートの記述をみて、不安も抱えていたことを知った。でも、最後は本人が望んだ形で逝くことができたと、今は思う。「これでよかったんだよね」。自らに言い聞かせるように、そうつぶやいた。

緩和ケア病棟がない——入りたくても入れない地方の現実

二〇一九年二月下旬の冷えた朝、青森県八戸市の女性（70）がごみ袋の口を結ぼうとした時、せきとともに口から血が噴き出た。吐血が続き、うがいの時のような勢いで出る血で袋の中が赤く染まる。苦しい。「肺がんだろう。このまま人生を終えるのか」。長女の車で病院に向かう道すがら、そう考えた。

診察を受けたところ、細菌性の症状で命に別条はなかった。すぐに退院できたが、死の実感は残った。どこにいけば、痛みや苦しみのない安らかな死を迎えられるのか——。

思い起こしたのは、八年前に前立腺がんで亡くなった夫＝当時（62）＝の最期だ。入院時は相部屋だった。ほかの患者が「ウウー」とうめき声を上げ、気が休まらない。「地獄に引き込まれるようだ」と家に戻った夫に、女性は日夜を問わず、付き添った。

その経験があるからこそ、離れて暮らす子どもの苦労を考えると、自宅は選べない。延命は望まないが、医師や看護師が近くにいた方が安心できる。「緩和ケア病棟なら」と思うが、今は八戸市周辺にはない。

緩和ケア病棟は、がんなどによる痛みを和らげることを専門とする。一九九〇年に診療報酬の対象として制度化された。当時の五病棟から、二〇一七年には三百九十四病棟に増えている。多くは都会に集中する。東京都や大阪府ではそれぞれ三十カ所ほどあるが、青森県は三カ所。がん患者のうち、緩和ケア病棟で亡くなった人の割合も、青森県は全国最低の4・3％だ。

〇八年から八年余り、八戸市立市民病院に勤めた佐藤智医師（66）は「医師の教育の仕組みが十分でなく、緩和ケアは医療として定着していません。必要性に気づいた医師らが個人で担うため、地域差が生じます」と話す。在宅での緩和ケア拠点も、都市部に偏りがちだ。

本人が自宅での最期を望んでも、「老老介護」では難しい。できる限り医師や看護師のそばにいたい、という人もいる。死は誰にも訪れるが、人口が減る地方では選択肢が乏しい。

「穏やかな死を願う人の受け皿が足りない」。胃がんで父親を亡くした八戸市の主婦越後悦子さん（70）も同じ思いを抱える。入院先で、痛みに苦しむ父を静かに逝かせてやれなかった後悔が、今も残る。

越後さんは、一〇年に市民団体「八戸緩和ケアを考える会」を立ち上げた。勉強会やカフェで緩和ケアの意義を広め、病棟の建設を訴えてきた。「心の安らぎを得て、人生を終えたい」という声を聞いてきた経験から、「救命と同じように、最期の医療にも心を砕いてほしい」と話す。

会の発足から九年が過ぎた。市民病院に緩和ケア病棟の増設が決まり、二〇一九年一月に着工した。二〇二〇年春には開業する。しかし、越後さんには喜びより、無念さが先に立つ。この間に、がんだった会員三人が病棟を待ち望みながら亡くなった。

緩和ケアの経験が長い佐藤医師は、八戸を離れた。病棟に勤務する医師の専門性は、十分だろうか。「死に場所」をめぐる地域格差の現実を前に、越後さんの表情は暗い。

災害公営住宅――亡き息子と故郷で一人暮らす不安

毎朝、居間の長机に置いた鏡に向かい、口紅を引く。ほおにはファンデーションをとんとんと、まんべんなく。「いつ何時《なんどき》、どうなっても、みっともない姿は見せられないから」。小山勝子さん（81）の日課だ。窓の先には、等間隔に部屋が並ぶ白い建物が見える。三棟に約百六十世帯が入る宮城県気仙沼市の災害公営住宅、南郷住宅の一室で、一人で暮らす。

二〇一一年の東日本大震災で、市内の自宅を失った。東京に住む長女（55）の家に身を寄せていたが、二〇一五年四月、「やっぱり生まれた場所で人生を閉じたい」と気仙沼に戻った。

化粧の後は、津波で亡くなった長男正己さん＝当時（42）＝の写真の前にお茶を供え、手を合わせる。両親や弟、夫を看取ってきたが、「行ってきます」と仕事に出たきりの死別は、受け入れられないでいる。

故郷に帰ると決めたのは、正己さんが好きだった場所だからでもある。「私の目を通して、気仙沼を見てほしいと思ったのです」。自分の中に、正己さんが生きているような気がしているという。

小山さんが生まれ育った港町では、毎日食べていた新鮮な魚は、知り合いの漁師が気前よく分けてくれた。近所の人が亡くなれば、皆でごちそうを用意して死を悼む。そんな日常を思い描いて、四年前の災害公営住宅の開設時、南郷住宅に入った。

別々の仮設住宅にいた被災者らが、一斉に入居した。裁縫が好きな小山さんは、手芸サークルや高齢者の交流会に顔を出すのを楽しみにしていた。「食事を持ち寄ったり、足りない物資を交換したりして、助け合っていました」

ところが、二年ほど過ぎると、関係はぎくしゃくし始めた。もとは知らない人同士。ある程度自立した生活ができるようになり、周りを頼ることが減ると、互いに行き来することもなくなっていった。

小山さんが靴下をうまくはけず、頭に異変を感じたのは、そのころだ。翌日、市立病院を受診すると、慢性硬膜下血腫と診断された。その日のうちに二百ミリリットルの血を抜いた。簡単な手術だったが、「自分もいつ死ぬか、わからない」と思い始めた。

南郷地区の自治会長によると、住宅の高齢化率は七割に上る。一人暮らしが多く、これまでに少なくとも五人が孤独死した状態で見つかったという。「死ぬのは怖くないんです。だけど、誰にも気付かれず、三日も四日も放置された姿を見られるのは嫌だと思うようになってね」。小山さんは、他人に迷惑をかけないようにと、遺品の整理を始めた。

災害公営住宅で独りで暮らす小山勝子さん。窓からは街並みが見える＝宮城県気仙沼市で。

この地で骨をうずめたい。だが最近は、「娘の近くにいた方がいいのかも」との思いが頭をかすめることもある。

二〇一九年、震災から八年が過ぎた気仙沼に、まもなく桜の季節がやってくる。南郷住宅の脇を流れる大川沿いには、百本以上の桜並木があった。四月になると出店が並び、酒を酌み交わす花見客でにぎわった。今はコンクリートの堤防が築かれている。

被災地の現実のなかで、孤独死の不安を感じる日々。「これが息子に見せたかった気仙沼の姿なのかなあ。ここにずっといていいのかなあ」。自らの選択に迷いを抱えながら、小山さんは今日も鏡に向かう。

死後を誰にも託せず、亡くなる人々——身寄りのない高齢者

「私し死亡の時　十五万円しかありません　火そう　無いん仏にしてもらいせんか　私を引取る人がいません」

二〇一九年の二月中旬、神奈川県横須賀市郊外の集会所で開かれた終活をテーマにした出前講座で、市の自立支援担当課長の北見万幸《かずゆき》さん(60)が手書きのメモをスクリーンに映した。

厚紙に鉛筆でつづられたメモには、たどたどしい筆跡が見て取れた。このメモを残した男性＝

享年七十九＝はがんを患い、二〇一五年一月末、市内のアパートで亡くなった。一人暮らしで、倒れているのを見つけたのは友人だった。

市などによると、男性は福島県の出身で、塗装職人として生計を立てていた。結婚はせず、最後に「俺が死んだら、一緒に墓に入れてくれないか」と頼ったのは、疎遠になっていた郷里の親族だった。

部屋には、自ら買いそろえたとみられる介護用品と、親族から送られてきた小包があった。最後のやりとりだったのか、中には切り餅と、依頼を断る内容の手紙が入っていた。

警察から連絡を受けた市は、親族に代わって火葬し、市の無縁墓に合葬した。預金はメモの通り、約十五万円が残っていた。だが、相続人でないと引き出せず、公費でまかなった。

北見さんが遺品の中からメモを見つけたのは、その直後のことだった。「どんな思いで書き残したのか」と、今も思いを巡らせる。

市には、年に五十〜六十柱の引き取り手のない遺骨が寄せられる。生きているうちに意思が分かれば、望む最期をかなえられるかもしれない。男性が亡くなって半年後、市は身寄りがない高齢者の終活支援を始めた。

一七年の秋、高齢者施設で暮らす堀口純孝さん（80）が、市を通じて葬儀社と生前契約を結んだ。戦後に満州から帰国し、十五歳で親元を離れた後、飲食店やホテルの職を転々とした。七十七歳の時、インフルエンザをこじらせて入院したのがきっかけとなり、二十六年間勤めた鮮魚店を解雇された。生活に追われ、家族を持つ余裕はなかった。

ずっと一人で生きてきた。自分はどこで死に、どこに葬られるのか。不安に駆られて、睡眠薬が手放せなくなった。仲間と墓の話になると「考えていない」と突っ張った。だが「死んだら、誰が弔ってくれるのか。内心は不安でいっぱいでした」と堀口さんは振り返る。

死亡後は神奈川県内の寺院に合祀《ごうし》され、供養をしてもらう契約を結んだ。葬儀と納骨で計二十五万円。死後の場所を得た堀口さんは今、施設での配膳を手伝ったり、カラオケを楽しんだりして、過ごしている。

二〇一八年版の高齢社会白書によると、一人暮らしの高齢者は今、六百五十万人を超える。四〇年には九百万人近くに達する見込みだ。北見さんは「死後を託す相手がいないまま世を去る人が増えていく」とみる。

携帯電話やスマートフォンで、手軽に連絡が取れる現代だが、「元気なうちは便利だが、本人が倒れてしまうとロックが解除できず、役に立たないのです」。人知れず亡くなった高齢者の身内を捜す仕事に携わってきた北見さんの実感だ。

血縁や地縁が薄まる中、「死後の安心」を得られない人の不安をすくい、「死後の尊厳」を守れるのは誰か。机の引き出しにしまった「遺書」を見ては、自問を繰り返している。

医療過疎の島にあえて帰る——故郷で亡くなった漁師の最期

三重県鳥羽市の鳥羽港から連絡船で四十分、三島由紀夫の小説「潮騒」の舞台で知られる、伊勢湾口に浮かぶ人口三百五十人の神島で、小久保松輝さん＝享年六十八＝は眠っている。

漁師一筋の無口な男。生き餌で一本釣りしたタイを振る舞うのが好きだった。何より、家族と島を愛していた。肺がんを患い、闘病の末に亡くなったのは二〇一六年六月。妻と息子、娘らと孫に囲まれた、静かな最期だった。

愛着のある住み慣れた地で人生を閉じる。介護の担い手だった若い世代が離れ、医療資源も乏しい小さな島で、その願いをかなえるのは容易ではなかった。

小久保さんは一五年三月、肺がんが転移し、末期の「ステージ4」と診断された。妻の富美子さん（64）に「温《ぬく》たなったら沖行ってみるわ」と話したばかりだった。島に病院はなく、診療所が一つだけ。同県伊勢市の病院での検査や入院のたびに海を渡った。

一年ほど過ぎたころ、富美子さんの実家が営む島の民宿で、内孫の命名を祝う宴席があった。化学療法による治療を受けるために入院していた小久保さんも帰島し、笑顔を見せていた。

ところが、宴が終わり、片付けが済んだ時、大泣きしている姿を富美子さんは見た。小久保さんは寡黙で、それまで病気のこともほとんど口にしなかった。それだけに、富美子さんは、この先、孫の成長を見守ることができない夫の無念を感じ取った。小久保さんは涙の訳を語ることはなかった。

やがて、がんは足にも転移し、歩くのも難しくなった。神島の風習で、孫の初節句を祝って浜にこいのぼりを揚げた時も、腫れ上がった足を湯で温めて富美子さんが懸命にさすったが、痛みは増すばかりで、小久保さんは立ち会えなかった。

「治療は尽くしました」と担当医に告げられたのは、そんな時だった。入院先の病棟で、小久保さんは幻覚に苦しんだ。「船が…」。もうろうとしながら訴える様子を見て、富美子さんは決断した。「お父さん、島に帰ろう」。夫の気持ちはわかっていた。

一六年五月中旬、小久保さんは自宅に戻った。海は穏やかで、初夏の訪れを思わせる日差しを受けていた。沖から戻る漁師の長男の船が窓越しに見えるベッドで、島の診療所から来た小泉圭吾医師（41）に言った。「ええなあ、ここ」

それから三週間。長男夫婦に加え、看護師として働く次女も帰省し、痛みを和らげる注射の管理や汚れたシーツの交換を担った。訪れる人と思い出を語り、家族との時間を過ごし、小久保さんは逝った。数日前から息苦しさを訴えるようになっていた夫の枕元で、富美子さんは「よくがんばったね。もういいんだよ」とささやいた。

小泉医師はその姿に心を打たれた。「亡くなるその日まで親戚や友人に囲まれ、昔話に泣いたり、

小久保松輝さんを看取った部屋で遺品を手にする妻の富美子さん＝三重県鳥羽市の神島で。

時に笑ったり。なんて幸せな最期なんだろうと思いました」

亡きがらを島外の火葬場に送り出すため、男衆が棺《ひつぎ》を担ぎ、船着き場まで歩いた。桟橋には島民が詰め掛け、数珠を手に故人をしのんだ。島で葬儀をした後、遺骨は海を見下ろす墓地に葬られた。以降、島での葬儀は営まれていない。

働き口を求める若者の島離れと高齢化が進み、受け継がれてきた営みさえ、先細る小島。生まれた場所で死ぬという願いを貫き、夫を看取った日々が今、富美子さんの生きる糧となっている。

●取材の周辺●――白名正和

見送りの後で

エプロンを身に付け、カーテンをくぐって病室に入る。ベッドで横になるがん患者に何か飲みたいか尋ねると、「じゃあ、今日はホットコーヒーにしようかな」「紅茶をもらえる?」。頼まれた品物を持っていくと、笑顔で「ありがとう」が返ってくる。

本書のもととなった連載「メメント・モリ」の取材班に加わった二〇一八年十月から、南生協病院(名古屋市緑区)の緩和ケア病棟のボランティアグループに参加した。週一回と、決して頻繁には行けなかったが、病棟の日々に接した。

入院しているのは、がんの治療が難しい患者だ。痛みや苦しみを取り除きながら、病室で最後の時間を過ごしていた。

病棟の様子は日ごとに変わった。歩いていた人が部屋から出なくなり、ベッドから動けなくなり、声が出せなくなる。そしてある日、病室の名札が消える。亡くなったのだ。病室から遺体として出て行く場面も、何度も目にした。

悲しい、寂しい、辛い。どの言葉にも当てはまらない、ないまぜになった気持ちで、そんな場面を見送った。同時に、死は当たり前に訪れることである、という事実を思い知らされた。日常生活で忘れがちだが、病棟では直面せざるを得なかった。

ボランティアを通して親しくなった患者の一人が、本章の冒頭で取り上げた女性だった。マイカップを手に待合室へ来て、顔なじみのボランティアメンバーと雑談する。記者も会話の輪に加わり、打ち解けた。

女性に連載の趣旨を説明し、可能であれば最期も見届けたいとお願いした。「役に立てればうれしい」と言葉をかけてくれた。姉の細川裕子さん（80）にも許可を得た。

病状が深刻になった二〇一八年十二月二十七日から、細川さんと二人で病室に泊まり込んだ。いつ亡くなってもおかしくない状況だった。二人分の食事の買い出し、トイレやシャワーなどで席を外すことも不安で、細川さんと交代しながら女性を見守り続けた。

呼吸が苦しそうになったり、眉間にしわが寄ったり。言葉は発せなくても、女性の気持ちは何となく分かった。少しでも長く生きてほしい、早く楽になってほしい。矛盾した気持ちが常に頭にあった。

二〇一九年一月一日。細川さんや看護師の前で、女性が息を引き取った。翌二日には名古屋市内の小さな斎場で、友人二十人が「お別れ会」を開いた。女性が生前に願っていた「華美にならないように」という願いをくみ取り、畳敷きの和室で友人らが車座になって思い出を語り、棺に花を手向けた。

出棺にも同行した。真新しい火葬場の待合室で細川さんや親族とお茶を飲み、火葬後は一緒に骨を拾った。

女性の死去から三カ月ほどたった二〇一九年三月。細川さんは定期的に女性が最期を迎えた病棟を訪れ、女性と親しかったボランティアや看護師に会うようになっていた。細川さん自身は病棟に入院した経験はないが、「裕子さん」と昔からの知人のように呼ばれる。

女性の生前は、二人で暮らしていた。今はその家に一人で住む。「妹を亡くした悲しみはもちろん、あるの。でも、妹が私の体に入って一緒にいるような感じもする。妹の命が受け継がれているみたい」。妹の死を経験した細川さんの表情は、暗いばかりではなかった。

取材班が解散し、通常の業務に戻っていた二〇一九年六月。「細川さんは今、ボランティアをやっているんだよ」と、細川さんとの共通の知人から聞いた。さっそく訪ねると、記者も身に付けていたエプロン姿で出迎えてくれた。

「私は足が悪いから、コーヒーを配ることはできないの」。代わりに、色とりどりの紙を切りそろえる作業を担当していた。亡くなった患者が病院を出る時、ストレッチャーに乗せる小さなブーケを作るために使う紙だ。

「どこへ行っても、妹の知り合いがいるの。その人たちと関わることができて、妹が作った物語の中に入っているみたい」と細川さんは話す。妹の死去から半年、悲しみは少しずつだが、薄らいでいる。「妹の肉体はなくなっても、精神はきっと、一緒に行動しているから」

女性は亡くなったが、気持ちは生きている——。多分にドラマティックに聞こえてしまう言葉で、実際に物語で多用される。記者は、この言葉が好きではなかった。

一人の女性の亡くなる前、亡くなる時、亡くなった後を見て、さらに家族の気持ちにも接して、考えが変わった。細川さんの中で、女性は本当に、今も息づいている。それによって、細川さんが生きるための力をもらっている。そう感じている。

取材前は、死をネガティブなものだと考えていた。悲しく、遠ざけるべきものだと。しかし、決してそれだけではない。確かに悲しみはあるが、生命は後に伝わっていくものでもある。連載を終え、本書を上梓するいま、そう考えるようになった。

special interview

絵本作家 **ヨシタケシンスケ**さん

大事な人と大事な話をする機会がないまま、死別するのはもったいない

死をテーマにした絵本『このあと　どうしちゃおう』（ブロンズ新社）を描いた、絵本作家のヨシタケシンスケさんに、作品に込めた思いや死生観を聞いた。

――『このあと　どうしちゃおう』を描こうと思ったきっかけを教えてください。

絵本作家になって三年目、自分でテーマを選んで描いた本でした。デビュー作『りんごかもしれない』がたくさん

の方に喜んでいただける結果となり、「二冊目も作っていいよ」という話になり、僕が描きたいと思ったのが、死をテーマにした本でした。実際には、何冊か後になりましたが。

私は、両親をそれぞれ亡くしています。母は病気、父は突然の死別でした。だんだん死に近づく人と、突然死を迎える人の両方、経験しました。

十年以上前に、長患いだった母を看取りました。「死ぬのは怖い?」とか「死んだらどうしてほしい?」とか、いざとなると大事なことは聞けないものだということが、その時、経験としてありました。同時に、「聞いておけばこちらが救われただろうな」という質問はたくさんあるな、ということをすごく思いました。母親の数年後に父親はぱたっと亡くなるわけですが、余計に聞いておきたかったことがあったなと、やっぱり、亡くなってから気がつきました。

大事な人と大事な話をする機会がないままに死別するということは単純にもったいないと思いますが、自分から切り出すのは難しいし、相手も切り出してほしくない時だってありますよね。ただ、それが映画やドラマ、本の中にきっかけがあれば、話しにくいことも話しやすくなるはずだ、と思ったわけです。

そんなことを考えている時に、東日本大震災が起きました。今日元気だから明日も元気とは限らないし、子どもが老人より長生きするとは限らない。そう思い知ったことで、だからこそ、元気なうちに、大事なことの意見交換ができるきっかけというのがあったほうが絶対いいはずだ、と確信しました。

人はなぜ死んだかにとらわれすぎている

——絵本で死を扱う時、どんな工夫をしましたか。

死を扱った絵本はたくさんありますが、僕が考えたのは「悲しいモノにしたくない」ということでした。なぜなら、死を扱った話はたいてい、喪失感や悲しみ、寂しさのような感情とセットになってしまうからです。僕には、それだけじゃないはずだという思いがありました。感情的な場面もあっていいと思いますが、僕がやりたいと思ったのは、笑って死の話ができるような、半分冗談で半分本気の話ができるような本でした。読んで悲しくなってしまうと、話したくなくなってしまう。死というものは感情だけでできあがっているものではないと思っていたので、不謹慎でない程度におもしろがって、ふざけて、笑いながら読める、死をテーマにした本が目標でした。

——絵本には、「死は恐いもの」と受け取れる記述がありますね。

僕自身は、恐いものとは思っていません。ただ、自分がいなくなることで、子どもたちがどうなるんだろう、とか、周りの人が悲しんだり、苦しんだりすることが恐い。死の周りで起きることが恐いのであって、死そのものが恐いわけではありません。あくまでも、「みんなは恐いんじゃないのかな」という想像です。

――物語は「こないだ　おじいちゃんが　死んじゃった」という少年の描写から始まりますね。

あえて死因は示しませんでした。僕は常日頃から、人は死を考える時に、「なぜ死んだか」という理由にとらわれすぎなんじゃないかと思っていました。老衰か交通事故かで、死の意味は変わってきます。でも、いなくなったという事実は変わりません。

大切な人がいない世界で、残された人がどう生きていくかを考える時、死因や理由にこだわって、誰かを憎んだり、争いに時間を費やしたりするのは、もったいないという気がします。自分が死んだ時、残された人に望むのは、僕が死んだ理由は気にせずに、いないということをどう受け止めるかを考えてほしいので。理不尽な死であればあるほど、苦しむことになるわけですが、さいなまれなきゃいけないわけじゃない。考え方一つで、どうにか、残された側の苦しみ、憎しみを減らせないか、とずっと思っていました。物語が、おじいちゃんが亡くなったところからスタートしているのは、そういう意図が込められているのです。

いなくなって悲しいという喪失感を、どうやって埋めていくか。時間が流れて傷が癒えるまでの間、どうやって気を紛らわせるのかというところは、原因を突き詰めること以上に大事なことのはずですが、実際には結構、後回しにされています。原因は何でもいいというと乱暴ですが、ただ、僕が死の本を作るなら、原因にはあえて触れずにおきたいと考えていました。その方が、フラットに死を考えられるんじゃないかと思ったのです。

死の絵本で世代を超えて死生観が交わる可能性

――本の中で、最も伝えたかったことは何ですか。

見せ場は、楽しそうな死後を想像してノートに書いていたおじいちゃんについて、孫が「おじいちゃんは、ほんとは　こわかったのかもしれない」と思い巡らす場面です。恐かったからこそ、あえてふざけて、死にものぐるいで死んだ後の楽しいことを描いていたんじゃないのか、と。でも、死んじゃった以上は、本人にしか分からない。あのくだりが一番、言いたかったところです。おじいちゃんの気持ちは、残されたものから推察はできるが、本当

『このあと　どうしちゃおう』（ブロンズ新社）

のことはおじいちゃんにしかわからないよね、という当たり前のことをちゃんと言う本にしたかった。死って、そういうものだと思うので。

——死について考えることで、自分がどう生きるかを考えるシーンもあります。

死について、四六時中考えろというのは無理な話です。それでも、「考えてみたらおもしろいんじゃない？」と選択肢を示す意味はあると思います。たとえ三日坊主でも三日間考えたことがあるかどうかで、その人の死生観に影響があるはずで、そのきっかけがあれば十分のような気がします。

絵本のいいところは、いろんな世代で読めることです。死の絵本を書くことで、ふつうは交わることのない、五歳児と八十歳のおじいちゃんの死生観が交わる可能性が生まれます。六十歳と十五歳でも、また違います。そういうものがシャッフルされる可能性があるというのは、すごい希望だなと思います。五歳の死生観を聞いてほっとする八十歳もいるかもしれないし、六十歳の死生観を聞いて、生きる希望がわいてくる十五歳がいるかもしれない。それは、互いの歳でないと分からない感覚があります。「もうすぐ死ぬ人って、そういうふうに考えているのか」とか、生命力に満ちあふれて死がリアルじゃない人の死生観って、こんなにあっけらかんとしているのか、とか。五歳児が八十歳のおじいちゃんの死生観を左右していけないはずはありません。だから、終活マニュアルみたいなお年寄りしか読まないような本ではなく、どんな人が読んでも、世代なりのおもしろがり方ができる本が理想でした。

――ヨシタケさん自身の死生観をお聞かせください。

僕自身は、死んだら全部なくなるという考え方を採用したいという気持ちがあります。だから、僕が死ぬことに理由もなければ意味もありません。今は家族がいるので、死にたくないという思いはあります。子どもの将来を見たいという気持ちもありますし、できれば一緒にいたいという気持ちもあるためです。

残された人の負担が少ない死に方をしたいという思いもあります。残った人が必要とするなら、思い出話みたいなものがたくさんあった方がいいし、必要でなければなくていい。理想の死に方を決めたところで、その通り死ねるわけではありませんが、単純に自分の大切な人が悲しむ時間は一日でも一時間でも減ってほしいですね。自分が死んでも、残された人に長い間、悲しみ続けてほしくない。

遺された人に小さな手がかりがあればいい

――ご両親の死というものは、ヨシタケさんの中でどう生きていますか？

母については、ずっと上から見守ってくれているような感覚があります。変なことはできないな、っていう感じです。両親が死をもって教えてくれたものは少なからずあり、それを自分なりの生き方、考え方に反映したいと思っています。母が亡くなったのはイラストレーターを始めて間もないころでしたが、ずっと信じてくれていました。

自分が描いた絵本をたくさんの方に喜んでもらえていることを母に見せてあげられなかった悔しさや寂しさはありますが、手遅れだったわけじゃありません。今からできることもたくさんあると思いますし、いないからこそ、「親孝行したい」と勝手なことを言えるところもあります。

結局、死というのは、自分の死についてはわからないので、大事な人の死がどうあってほしいか、またどうすれば周りが楽か、そこだけのはずです。正解を確かめる術はないので、そうであるなら選択肢は多い方がいい。「そういう考え方なら採用してもいいな」と思われるような選択肢を、「こういう物語はどうですか」と用意して示すのが作家の仕事ではないかと思います。採用する人の割合は少なくても、しっくりくる考え方を求めている人もいるだろうし、よっぽど極端でない限り、人を傷つけることもないと思います。

死を「縁起でもない」と思う感覚はわかります。その気持ち自体を否定したくはありません。無理強いしたくはありませんし、「とはいっても、できないよね」という気持ちを大事にしたいと思います。だからこそ、選択肢を増やしたいのです。こんな笑い話もあるよ、と。「死を話し合おうぜ」と声高にいうつもりはありませんが、「避けがたい後悔になる」ということを知っておいてもらって、計算済みで後回しにしてもらえばいい。それをするなという気持ちもありません。年を取れば後回しにしたくなる気持ちもわかります。「死の話を避ける」という現象には理由があるはずで、一番楽だったり、やりやすかったりするからこそ、それが多数派になります。それをひっくり返すには、相当の説得力のある提案でないと無理ですが、そこまで大きなことをしたいとは思っていません。ただ、みんなが着地してしまう場所に寄り添い、ちょこっと広げるというだけでも、ずいぶん違ってくるのではないか、と思うのです。

——絵本に出てくる「このあとどうしちゃおうノート」があると、残された人は楽になると思いますか？

その部分は完全に創作で、あったから助かった経験があるわけではなく、「あればよかったのにな、助かったかもしれないな」という希望なんですよね。だから、書いても残された人を救うかどうかは、わかりません。

ただ、何か手がかりがほしいというのはどちらも同じだと思います。たとえば、「死んだらイチゴを供えてね」と言い残したとすると、毎年、イチゴを供えることで残された人は、願いを叶えてあげられたということで、救われるはずです。そういう手がかりが一つでも二つでも増やせれば、小さなことでもずいぶん違うと思います。

▼ヨシタケシンスケ　プロフィール

一九七三年神奈川県生まれ。筑波大学大学院芸術研究科総合造形コース修了。スケッチ集や、児童書の挿絵、装画、広告美術など、多岐にわたり作品を発表。主な著書に、スケッチ集『しかもフタが無い』（ＰＡＲＣＯ出版）、『結局できずじまい』『せまいぞドキドキ』（講談社）、絵本では『りんごかもしれない』『ぼくのニセモノをつくるには』『もうぬげない』（ブロンズ新社）などがある。二児の父。

あとがき

人の死に初めて触れたのは、小学校五年、十歳の時でした。がんで入院していた大叔父に別れの時が近づいていると電話があり、深夜、両親に連れられて隣町にある病院に駆けつけました。

薄れていく意識の中で思い出を振り返っていたのでしょうか、大叔父は「名古屋の動物園でなあ」などと、うわごとのように繰り返していました。集まった親類がベッドを囲み、大叔父の手や足を代わる代わるさすりました。心拍が下がり、冷たくなりかけていた左手。やがて呼吸が止まり、医師が臨終を告げて病室を去ると、大叔父の長男は「おやじ、おやじ」と頬をなで、闘病生活で伸びていたひげを電気カミソリで優しく剃りました。その光景を覚えています。

人生の終焉と、見送る家族の悲しみ。当たり前のことですが、昭和から平成を経て時代が令和に変わっても、大切な人との最後の別れは日本や世界で、今この瞬間も繰り返されています。ただ、大叔父の臨終に接した一九七七（昭和五十二）年から四十年余りの間に、私たち日本人の死との向かい合い方は大きく変わりました。年間死者数は年を追うごとに増え、二〇一八年の約百三十六万二千五百人は当時の二倍です。国はピークの二〇四〇（令和二十二）年に百六十六万人に達すると予測しています。住み慣れた自宅や地域の公民館で営まれていた葬儀はセレモニーホールなどに場所を変え、都市部を中心に身内による家族葬が増えました。「先祖代々」と刻まれた墓ではなく、永代供養の合葬墓や納骨堂、海への散骨、樹木葬などが選べる時代です。一方で、誰にも看取られずに一人きりでこの世を去っていく人も少なくありません。

本書に収録した連載「メメント・モリ」の取材班が立ち上がったのは、二〇一七年の秋でした。平成が終わりを迎える二〇一九年に向け、自分たちが生きているこの時代を何を軸に切り取るのか。議論を重ねる中で、全員の頭と心に浮かんだのが「多死社会」でした。「終活」という言葉がユーキャン新語・流行語大賞のトップテンに選ばれたのが二〇一二年。五年がたち、エンディングノートなど身じまいに関するセミナーが盛んになった時期でもありました。

しかし、「メメント・モリ」が目指したのは、新しい死生観や葬儀のスタイルなどをランダムに紹介する連載ではありません。死を巡る「現場」と「人」に徹底的にこだわり、多死社会の実相に筆を近づける。それが、取材班が共有した連載の主旨です。自分たちの両親も友人も、今ここで議論している記者も、人はいつか必ず死ぬ。記者として、一人の人間として、逃れようのない現実と正面から向かい合い、取材で得た赤裸々な事実を伝えて読者と一緒に考える。タイトルが意味する「死を想え」は、社会や読者に対してだけでなく、取材班が自らに向けたテーマでもありました。

では具体的にどの現場に立ち、何をどう伝えるのか。最初のテーマに取り上げ、本書の第1部に収めた「亡骸を追う」は人間の最後の姿である残骨灰の行方を追跡しましたが、その取材の中で記者から伝え聞いた忘れられない言葉があります。

火葬場で亡骸が炎に包まれる様子から書き始めた「もう一つの遺骨」の取材の日。喪服を着た若い記者とカメラマンは口数が少なく、こわばった表情で現場に向かいました。炉の裏側にある小さな窓に顔を近づけてすべてを取材した記者たちに、火葬場の所長は「技術のある職員がしっかりやっていることを、少しでも社会に知ってほしいという気持ちがあります」と言いました。そして、こう続けたそうです。「顧みられることのない現場ですが、死は誰にも避けられないものでもあります」

この言葉に気づかされたことがあります。亡骸を追ったシリーズだけでなく、放置されて荒れている無縁墓や引き取り手がない遺品、宙に浮く遺言、孤独死、遺された家族の苦悩など連載全体に共通しますが、生々しい現実を伝える記事が読者にどのように受け取られるのか、不安がまったくなかったといえば嘘になります。「遺」、「墓」、「死」、「悲」という文字が数多く登場する記事に、嫌悪感をもたれるのではないか。予想はしていましたが、読後感が決して良いとはいえない内容に、読者からは「朝から気分が悪い」という電話やメールが寄せられました。

ただ、「将来どうしたらいいだろうと考えるようになった」「ようやくこの問題が取り上げられた」など、前向きに受け止めていただいた反応が多かったのも事実です。「タブーだと思っていただけに感謝する」と書かれた手紙もいただきました。この手紙の指摘通り、私たちメディアは死の現場を直線的に報じることを、どこかでタブー視してきたのかもしれません。「忌み」には「洗浄」と「穢《けが》れ」がありますが、事件や事故とは別の死に触れることを「禁忌」とし、気づかない間にある意味で自主規制をしてきたのではないかと思います。それだけに、「知ってほしい」「顧みられることのない現場」と話してくださった火葬場の所長の言葉は、連載が進むごとに胸に重く響きました。

もう一つ、分かったことがあります。メディアが死を取り上げることをどこかでタブー視してきたとするならば、国は深刻な課題を棚上げにし、対応を自治体に頼り切っているという実態です。年間死者数が今後も増えると予測する半面、法律や政策は追いついていません。自治体が業者に処理を委託している残骨灰が0円で取引されている事実を裏付け、法規定や国の統一基準がないのか質問した記者に、厚生労働省と環境省のそれぞれの担当者は「法律も監督官庁もない」「最終的には自治体で判断してほしい」と言い切りました。公営墓地に立つ無縁墓や公営住宅に残された遺品の処分などにも基準はなく、すべて自治体に任せています。現場で苦悩する自治体職員の間には、議論と対応を国に求める強い声があります。連載開始後の民法改正で自筆証書遺言の要件が緩和されるなど、すべてが置き去りにされているわけではありません。宗教的感情が絡み、一律の基準が難しいことも理解しています。ただ、少子高齢化と多死社会が同時進行する陰で、故人の尊厳に対する国の姿勢はあまりに冷たくはないでしょうか。

その一方で、人は強く生きようとしています。がんを患い、二〇一八年十月二十七日に六十九歳で亡くなった三重県桑名市の星野公平さんと家族の皆さんは、第2部に収録した「人生を締めくくる準備」の取材を申し入れた記者に「全部、見てほしい」と話し、生前から亡くなった後までのすべての取材に協力してくださいました。

星野さんだけではありません。自らの命に限りがある中で、記者の踏み込んだ質問にも思いを打ち明けてくださった方々。延命措置の判断を迫られ、苦悩の中で母の人工呼吸器を外す決断を話してくれた姉妹。生前の意思を尊重して最後の別れ方を決めたはずなのに、本当に良かったのだろうかと答えを出せずにいる夫や妻。引き取る家族がおらず保冷室で三週間を過ごした友人の遺体を、たった一人で見送った男性……。一人一人の言葉はそれぞれの人生そのものであり、悲しみを超えて前に進もうとする尊い証言です。

取材を受けてくださった後に亡くなり、本書を手にしていただけない方がいます。「私でお役に立ててるなら」とインタビューを快く引き受けていただき、病院や自宅にお邪魔する直前に息を引き取った方もいます。取材班は死を傍観するのではなく、現場と人に向き合い続けましたが、あまりに重い現実にひるみそうになったこともありました。ただ、二〇一七年十一月から二〇一九年三月まで、一年半近くにおよぶ取材を完結できたのは、本書に登場する方々の「知ってほしい」との強い思いと、病院や高齢者施設、関係団体などの深い理解と協力があったからです。そのすべての皆さん、そして連載に共感して出版を決意してくださったヘウレーカの大野祐子さんに心から感謝を申し上げます。

「メメント・モリ」は、中世ヨーロッパで使われたラテン語の警句です。「死」を考えることは「生」を根本から見つめ直すこと。それは太古の昔も、この先、人間がどのような時代を迎えても変わらないという取材班の確信を記し、本書を結びます。

二〇二〇年三月

中日新聞社会部デスク　青柳知敏

〈執筆者紹介〉

青柳知敏（あおやぎ・ともとし）＝第1～6章を担当

1967年生まれ。1992年入社。上野支局、名古屋本社社会部、マニラ支局、名古屋本社経済部、ニューヨーク支局などで勤務。事件取材や長期連載などに携わる。現・名古屋社会部デスク。

北島忠輔（きたじま・ただすけ）＝第7～10章を担当

1974年生まれ。1998年入社。東京本社社会部、名古屋本社社会部、ニューヨーク支局などで勤務。司法分野や連載記事の取材に長く携わる。現・教育報道部デスク。

小笠原寛明（おがさわら・ひろあき）＝第1～10章を担当

1976年生まれ。1999年入社。上野支局、名古屋本社社会部、岐阜支社などで勤務。多くの長期連載を担当。現・三重総局デスク。

杉藤貴浩（すぎとう・たかひろ）＝第1～6章を担当

1978年生まれ。2001年入社。東京本社経済部、名古屋本社社会部などで勤務。東日本大震災や貧困問題などの連載記事に長く携わる。現・名古屋本社経済部。

白名正和（しらな・まさかず）＝第8～10章を担当

1979年生まれ、2004年入社。北陸本社報道部、岡谷通信部、東京本社特別報道部などで勤務。貧困問題や生活保護について取材を続ける。現・名古屋本社社会部。

土門哲雄（どもん・てつお）＝第1～2章を担当

１９７４年生まれ。１９９９年入社。岐阜支社報道部、東京本社整理部、東京本社社会部などで勤務し、警察や国税などの取材を担当。東京本社社会部警視庁キャップを経て、現・遊軍担当。

田嶋豊（たじま・ゆたか）＝第1～2章を担当

１９７７年生まれ。２００１年入社。北陸本社報道部などで勤務し、地方行政の取材に長く携わる。現・北陸本社ニュースデスク。

坪井千隼（つぼい・ちはや）＝第6～7章を担当

１９７８年生まれ。２００４年入社。松本支局、岐阜支社報道部、名古屋本社社会部などに勤務。国税や科学分野の取材を担当。現・北京特派員。

水越直哉（みずこし・なおや）＝第4章を担当

１９８４年生まれ。２００７年入社。瀬戸支局、岐阜支社報道部などを経て、18年8月から名古屋本社社会部。

森若奈（もり・わかな）＝第5章を担当

１９８４年生まれ。２００９年入社。彦根支局、長野支局を経て社会部記者。名古屋市内の警察取材や街ダネを担当。

豊田直也（とよだ・なおや）＝第5章を担当
1987年生まれ。2010年入社。岐阜支社報道部、富山支局、大阪支社報道部で勤務。現・名古屋本社社会部。

松野穂波（まつの・ほなみ）＝第4章を担当
1989年生まれ。2012年入社。岐阜支社報道部、静岡総局で勤務し、防災やスポーツ分野を主に取材。現・名古屋本社社会部。

兼村優希（かねむら・ゆき）＝第7章を担当
1989年生まれ。2012年入社。北陸本社報道部、岐阜支社報道部で警察、スポーツ、行政の取材を経験。現・東京本社運動部。

伊勢村優樹（いせむら・ゆうき）＝第8章を担当
1991年生まれ。2013年入社。富山支局、飯田支局で警察、行政、スポーツなどを取材。現・蟹江通信部。

五十幡将之（いそはた・まさゆき）＝第3章を担当
1991年生まれ。2014年入社。長野支局、豊橋総局で事件や自然災害、行政、大学、経済などの取材を担当。現・静岡総局。

森本尚平（もりもと・しょうへい）＝第10章を担当
1988年生まれ。2016年入社。豊田支局で警察や消防、豊田市が会場の1つとなったラグビーワールドカップ（W杯）日本大会の取材などを担当。現・穴水通信部。

山上隆之（やまがみ・たかゆき）＝第3章を担当

1966年生まれ。1990年入社。名古屋本社社会部、同経済部で事件や行政、経済の取材に携わり、バンコク支局勤務時は東南アジアを担当。現・名古屋本社教育支援事務局長。

赤川肇（あかがわ・はじめ）

1978年生まれ。2001年入社。小松支局、名古屋本社社会部などを経て、現・ニューヨーク特派員。

鈴木あや（すずき・あや）＝第3章を担当

佐藤浩太郎（さとう・こうたろう）＝第1～2章を担当

〈写真〉

浅井慶、伊藤遼、今泉慶太、内山田正夫、榎戸直紀、太田朗子、大橋脩人、川柳晶寛、木戸佑、坂本亜由理、佐藤哲紀、佐藤春彦、嶋邦夫、田中久雄、戸田泰雅、中嶋大、長塚律、中森麻未、布藤哲矢、松崎浩一、横田信哉、吉岡広喜

〈CG作成〉

名古屋本社デザイン課

〈編者紹介〉

中日新聞社会部

「新愛知」と「名古屋新聞」を前身に、「中部日本新聞」として1942（昭和17）年創刊。中日新聞（名古屋本社、東海本社）、東京新聞（東京本社）、北陸中日新聞（北陸本社）などを合わせ、333万7000部を発行している。大阪、岐阜、福井に支社、取材拠点となる総支局・通信局部は国内168か所、海外15か所にある。名古屋本社社会部には51人（2020年1月現在）が所属し、愛知県警、愛知県庁、名古屋市役所、司法の取材担当記者のほか、幅広いフィールドで連載企画などに取り組む遊軍、大学や病院を取材する医療科学班などで構成している。中日新聞社会部としての主な編著に『日米同盟と原発　隠された核の戦後史』『君臨する原発　どこまで犠牲を払うのか』（東京新聞出版局）、『祖父たちの告白　太平洋戦争70年目の真実』（中日新聞社）、『新貧乏物語　しのび寄る貧困の現場から』（明石書店）、『少年と罪　事件は何を問いかけるのか』（ヘウレーカ）がある。

死を想え《メメント・モリ》！多死社会ニッポンの現場を歩く

2020年3月20日　初版第1刷発行

編　者　中日新聞社会部

発行者　大野祐子 / 森本直樹

発行所　合同会社 ヘウレーカ
https://www.heureka-books.com/
〒180-0002　東京都武蔵野市吉祥寺東町2-43-11
TEL : 0422-77-4368
FAX : 0422-77-4368

装　幀　末吉 亮（図工ファイブ）

印刷・製本　精文堂印刷株式会社

ISBN 978-4-909753-07-6 C0036

好評既刊書

中日新聞社会部 編

少年と罪 事件は何を問いかけるのか

ISBN 978-4-909753-00-7
四六判・並製・272 頁／定価：1600 円＋税

人を殺してみたかった——。社会を震撼とさせた重大少年事件の加害少年たちが漏らす衝撃的な言葉に戸惑う大人たち。しかし、社会は罪を犯した子どもたちの心の闇に本気で向き合ってきたのだろうか——。20 以上の重大少年事件の当事者を丹念に取材し、加害少年の背景や内面、ネットに翻弄される子どもたちとその心模様、被害者家族の悲嘆と苦悩、加害者家族の過酷な現実を描く渾身のルポ。

目 次

好評既刊書

折戸えとな 著

贈与と共生の経済倫理学

ポランニーで読み解く金子美登の実践と「お礼制」

ISBN 978-4-909753-01-4
四六判・上製・400頁／定価：3800円＋税

「共同通信」に文筆家の平川克美氏、『週刊東洋経済』に経済学者の橋本努氏の書評が掲載されました。

有機農業の里として知られる埼玉県小川町の有機農業者、金子美登氏が始めた「お礼制」。消費者に農作物を贈与し、消費者は各々の「こころざし」に基づいてお礼をするこの仕組みは金子や地域にどのような影響を及ぼし、どんな意義があるのか——。金子や地域の人々の詳細なライフストーリーと歴史学、経済学、倫理学等の知見をもとに分析。さらにこの仕組みに埋め込まれた関係性をカール・ポランニー、玉野井芳郎、イリイチ等の議論を参照しながら理論化。ポランニーの「経済を社会関係に埋め戻す」という命題に対する、現場からの1つの解を提示する。より善く生きるとはなにか、共に生きるとはどういうことかを問う意欲作。

カヲル組　編

片品村のカヲルさん 人生はいーからかん

ISBN 978-4-909753-03-8
四六判・並製・112頁／定価：1500円＋税

群馬県の豪雪地帯・片品村で農業を営む須藤カヲルさん（92歳）が、食の雑誌『うかたま』の人生相談コーナーにデビューして10年。恋愛、人づきあい、仕事、子育てなどさまざまな悩みについての、ゆるっと「いーからかん」（カヲルさんの口ぐせで、いいかげん、いい塩梅という意味）な回答が人気を集め、長寿コーナーとなりました。その答えの中から「おもしろい」「役立つ」「癒される」ことばを、カヲルさんをリスペクトするアラフォー女性たちがピックアップ。カヲルさんの日常をとらえた写真と組み合わせて一冊にまとめました。老いることがネガティブに語られる現代にあって、女性たちが、老いていくカヲルさんのことばに、励まされ、元気をもらっています。腰が曲がり、小さくなっていく、お金も名誉も教育もないふつうのおばあさんですが、ひとことひとことが、なるほどと思わせます。

好評既刊書

中村 勝 著 ／井上 史編

キネマ／新聞／カフェー

大部屋俳優・斎藤雷太郎と『土曜日』の時代

「毎日新聞」「図書新聞」に書評が掲載されました。

ISBN 978-4-909753-06--9
四六判・並製・272 頁／定価：2500 円＋税

日本が戦争へと突き進もうとする 1930 年代半ば、京都で『土曜日』という隔週刊新聞が刊行された。
1 年 4 カ月という短い刊行期間にもかかわらず、『土曜日』は民衆への志向を持ち、人間への信頼を語りつづけた新聞として、戦後、研究者らから「日本における反ファシズム文化運動の記念碑的な出版物」と賞賛された。その編集・発行名義人である斎藤雷太郎は、小学校を 4 年で中退し、職人をへて映画界へ転出したものの、役者としては無名の大部屋俳優で終わった人物である。そんな彼がなぜあの「暗い時代」に身の危険を冒してまで自ら新聞を発行しようとしたのか。知識人が書く新聞ではなく「読者の書く新聞」を目指したのはなぜか。最後まで「貧乏人に対する裏切りができなかった」斎藤雷太郎という人物への聞き書きを通して、『土曜日』とその時代を描き出す京都新聞長期連載の書籍化。

高岡　健 著

いかにして抹殺の〈思想〉は引き寄せられたか

相模原殺傷事件と戦争・優生思想・精神医学

ISBN 978-4-909753-02-1
四六判・上製・216 頁／定価：2500 円＋税

相模原殺傷事件をめぐり数々の議論がなされ、論考が発表されてきたが、本書は、植松の主張を真正面から〈思想〉として捉え、分析しているという点で他に類をみない。具体的には、植松の主張である「大麻を〈地球の奇跡〉とよび、必要性を訴えていること」「文面上は、戦争に反対していること」「障害者の殺害を安楽死という言葉をもちいて宣言していること」の 3 点を手がかりに考察。第一次世界大戦前後から現在に至るまでの政治、社会、精神医学分野での研究を参照し、なぜ彼がそう主張するに至ったか、その構造を解明する。

好評既刊書

栖来ひかり 著

時をかける台湾Y字路

記憶のワンダーランドへようこそ

ISBN 978-4-909753-05-2
四六判・並製・272頁／定価：1700円＋税

右に行こうか、左に行こか ——まるで人生の岐路を象徴するようなＹ字路。

日本で出会った台湾人との結婚を機に台北に移住した著者は、台湾のあちらこちらで出会うＹ字路の魅力にとりつかれ、Ｙ字路形成の理由や歴史を調べはじめた。

すると、原住民族が暮らしていたころから清代、日本時代、戒厳令時代、そして現代に至るまで、Ｙ字路にはそれぞれの時代の出来事や人々の息吹が地層のように積み重なっていることがわかってきた。

実際に現地を訪ね歩き、古地図と重ね合わせ、資料をくりながら、忘れられた記憶と物語に耳を傾ける。著者が訪れた百数十カ所のＹ字路の中から、特に魅力的な約50カ所のＹ字路を、写真や古地図をふんだんに使いながら紹介する。

もくじ